启功

给你讲书法

启 功 ◎ 著

中华书局

**图书在版编目（CIP）数据**

启功给你讲书法/启功著 .—北京:中华书局,2006重印

ISBN 7 – 101 – 04855 – 2

Ⅰ.启… Ⅱ.启… Ⅲ.汉字—书法　Ⅳ.J292.1

中国版本图书馆 CIP 数据核字(2005)第 109044 号

| | | |
|---|---|---|
| 书　　名 | 启功给你讲书法 |
| 著　　者 | 启　功 |
| 责任编辑 | 宋志军 |
| 出版发行 | 中华书局 |
| | （北京市丰台区太平桥西里 38 号　100073） |
| | http://www.zhbc.com.cn |
| | E – mail:zhbc@zhbc.com.cn |
| 印　　刷 | 北京未来科学技术研究所有限责任公司印刷厂 |
| 版　　次 | 2005 年 10 月北京第 1 版 |
| | 2006 年 3 月北京第 4 次印刷 |
| 规　　格 | 开本/787×960 毫米　1/16 |
| | 印张 9.25　字数 91 千字 |
| 印　　数 | 28001—36000 册 |
| 国际书号 | ISBN 7 – 101 – 04855 – 2/J·24 |
| 定　　价 | 16.00 元 |

# 目 录

# 目 录

前言

# 前　言

　　这回讲的是有关书法的问题。书法一向有论著,包括从古以来的,到了近代像包世臣的《艺舟双楫》,还有康有为的《广艺舟双楫》。这些看来都比较神秘,比较文雅,用的词都比较古奥。按照那些个词句来实际用笔,练习写字,就会感觉到有许多的问题,感到词不达意,表现不出真实情况来。我现在讲的,是我平常的一些理解,现在就分这十几个项目来谈一谈。我的总题目叫作“破除迷信”。书法书上有许多的词,有修养的人,读过许多古书的人,对于所用的词汇,所用的解释都可以体会得出来,但到了实践中未必能表现出来。那么就有人将其穿凿附会,就走上了岔路,就越来越神秘,那么操作也越来越神秘。因此,我所谓要破除的迷信,就是指古代人解释书法上重要问题时那些个误解。事实上人家原来的话都是比较明白的,只是被后人误解了。我这里想与学习书法的朋友谈谈心,就是谈我的体会、我的理解是什么。这是我要讲的目的和内容。

第一章

　　或问学书宜学何体,对以有法而无体。所谓无体,非谓不存在某家风格,乃谓无某体之严格界限也。以颜书论,多宝不同麻姑,颜庙不同郭庙。至于争坐、祭侄,行书草稿,又与碑版有别。然则颜体竟何在乎? 欲宗颜体,又以何为准乎? 颜体如斯,他家同例也。

或問學書宜學何體對以有法而無體、所謂無體、

非謂不存在某家風格乃謂無某體之嚴格界限

也以顏書論多寶不曰麻姑顏廟不同耶廟至於

爭坐祭姪行書草稿又与碑版有別然則顏體

竟曰在乎於宗顏體乂又以何為準乎顏體及斯他家

曰倒也。

# 第一章　迷信由于误解

在这一章里要讲几个问题。

首先，文字是语言的符号，写字是要把语言记录下来。但是由于种种的缘故，写成了书面的语言，写成书面语言组成的文章，它的作用是表达语言。那我们写书法，学习写书法所写的字就要人们共同都认识。我写完长篇大论，读的人全不认识，那就失去了文字沟通语言的作用了，这是第一点。文字总要和语言相结合，总要让读的人看的人懂得你写的是什么。写完之后人都不认识，那么再高也只能是一种"天书"，人们不懂。

第二点，就是书法是艺术又是技术。讲起艺术两个字来，又很玄妙。但是它总需要有书写的方法，怎么样写出来既在字义上让人们认识理解，写法上也很美观。在这样情况下，书法的技术是不能不讲的。当然技术并不等于艺术，技术表现不出书法特点的时候，那也就提不到艺术了。但是我觉得书法的技术，还是很重要的。尽管理论家认为技术是艺术里头的低层次，是入门的东西。不过我觉得由低到高，上多少层楼，你也得从第一层迈起。

第三点,文字本来就是语言的符号。中国古代第一部纯粹讲文字的书《说文解字》,说的是那个"文",解的是那个"字"。但是他有一个目的,一个原则,那就是为了讲经学,不用管他是孔孟还是谁,反正是古代圣人留下的经书。《说文解字》这本书,就是为人读经书、解释经书服务的。《说文解字》我们说应该就是解释人们日常用的语言的那个符号,可是他给解释成全是讲经学所用的词和所用的字了。这就一下子把文字提高得非常之高。文字本来是记录我们发出的声音的符号。一提至经书,那就不得了了,被认为是日常用语不足以表达、不够资格表达的理论。

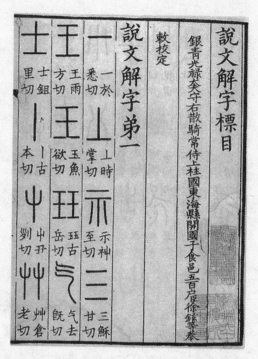

《说文解字》内页

这样,文字以至于写字的技术就是书法,就与经学拉上了关系,于是这个文字与书法的地位一下子就提高了,这是第一步。汉朝那个时候,写字都得提到文字是表达圣人的思想意识的高度来认识的。这样文字的价值就不是记载普通语言的,而是解释经学的了。

清人考卷

第四点，除了讲经学之外，后来又把书写文字跟科举结合起来了。科举是什么呢？科，说这个人有什么特殊的学问，有什么特殊的品德，给他定出一个名目来，这叫"科"；"举"是由地方上荐举出来，提出来，某某人、某某学者够这个资格，然后朝廷再考试，定出来这个人够做什么官的资格。古代我们就不说了，到明代、清朝就是这样的。从小时候进学当秀才，再高一层当举人，再高一层当进士，都要考试。进士里头又分两类：一类专入翰林，一类分到各部各县去做官。这种科举制度，原本应该是皇帝出了题目（当然也是文臣出题目），让这些人做，看这些人对政治解释得清楚不清楚。后来就要看他写的字整齐不整齐。所以科举的卷面要有四个字：黑，大，光，圆。墨色要黑，字要饱满，要撑满了格，笔画要光溜圆满，这个圆又讲笔道的效果。这样，书法又提高了一步，几乎与经学，与政治思想、政治才能都不相干了，就看成一种敲门的技术。我到那儿打打门，人家出来了，我能进去了，就是这么个手段。

这种影响一直到了今天，还有许多家长对孩子提出不切实际的要求。孩子怎么有出息，怎么叫他们将来成为社会有用的人才不去多考虑，不让小孩去学德、智、体、美，很多应该打基础的东西。他让小孩子干嘛呢？许多家长让孩子写字。我不反对让小孩子去写字，小孩写字可以巩固对文字的认识，拿笔写一写印象会更牢固，让小孩学写字并没有错处。但是要孩子写出来与某某科的翰林、某个文人写的字一个样，我觉得这个距离就差得比较远了。甚至于许多小孩得过一次奖，就给小孩加上一个包袱，说我的书法得了一个头等奖，得了一个二等奖。他那个奖在他那个年龄里头，是在那个年龄程度里头选拔出来的，他算第一二等奖。过了几年小孩大了，由小学到初中，由高中到大学，他那个标准就不够了。大学生要是写出小学生的字来，甭说得头等奖了，我看应该罚他了。有的家长就是要把这个包袱给小孩加上。我在一个地方遇到一个人，这个人让小孩下学回来得写十篇大字，短一篇不给饭吃。我拍着桌子跟他嚷起来，我说："孩子是你的不是我的，你让他饿死我也不管。那你一天要孩子写十篇大字，你的目的是要干什么呢？"我现在跟朋友谈心，谈书法，但是我首先要破除这个做家长的错误认识。从前科举时代，从小孩就练，写得了之后，这科举那些个卷摺，白摺子大卷子写的那个字呀，都跟印刷体一个样。某个字，哪一撇儿长一点儿都不行，哪一笔应该断开没断开也不行。这种苛求的弊病就不言而喻了。

所以我觉得这第四点是说明书法被无限制地抬到了非常高的档次，这个不太适宜。书法是艺术，这与它是不是经学，与它够不够翰林是两回事，跟得不得什么杯，得不得大奖赛的头等奖也是两回事。明白了这一点，家长对书法的认识，对小孩学书法的目的，就不一样了。

第五点，是说艺术理论家把书法和其他艺术相结合，因而书法也就高起来。比如现在有许多艺术理论家来讲书法，我不懂这个书法怎么是艺术。我就知道书法同是一个人写，这篇写得挂起来很好看，那篇写得挂起来不好看，说它怎么就好看了，我觉得并不是没有方法解剖的。但是要提高到艺术理论上解释，还有待将来吧。

第六点，封建士大夫把书法的地位抬高，拿来对别的艺术贬低，或者轻视，说书法是最高的艺术。这句话要是作为艺术理论家来看，那我不知道对不对；要是作为书法家来看，说我这个就比你那个高，我觉得首先说这句话的人，他这个想法就有问题。孔子说："如有周公之才之美，使骄且吝，其余不足观也矣。"（《论语·泰伯》）说是像周公那样高明的圣人，假如他做人方面，思想方面，又骄傲又吝啬，这样其余再有什么本事也不足观了。如果说一个书法家，自称我的书法是最高的艺术，我觉得这样对他自己并没有什么抬高的作用，而使人觉得这个人太浅了。

第七点，是说最近书法有一种思潮，就是革新派，想超越习惯。我认为一切事情你不革新它也革新。今天是几月几号，到了明天就不是这号了，不是这月这个日子了。一切事情都是往前进的，都是改变的。我这个人今年多大岁数，到明年我长了一岁了，这也是个记号，不过是拿年龄来记录罢了。事实上我们每一个人，过了一天，我们这个身体的机能、健康各方面，都有变化。小孩是日见成长，老年人是日见衰退，这是自然的规律。书法这东西，我们看起来，自古至今变化了多少种形式，所以书法的革新是毫不待言的，你不革它也新。

问题是现在国外有这么几派思想，最近也影响到我们国内来，是什么呢？有一种少字派，写字不多写，就写一个字，最多写两个字，这叫少字派。他的目的是什么？怎么来的？怎么想的呢？他是说书法总跟诗文联系着，我要写篇《兰亭序》，写首唐诗，这总跟诗文联着。我想把书法跟诗文脱离关系，怎么办呢？我就写一个"天"，写个"地"，写个"山"，写个"树"，这不就脱离文句了吗？不是一首诗了，也不是一篇文章了。这个人的想法是对的，是脱离长篇大论的文章了。但是一个字也仍然有一个意思，我写个"山"，说这个你在书里找不着，也不知这山说的是什么？我想没那事，只要一写底下一横上头三根岔，谁都知道像个山。那么人的脑子里就立即联想起山的形象，所以这还是白费劲。这是一个。

还有一派呢，想摆脱字形，又是一个变化了。这个变化是什么呢？就干脆不要字形了，有的人写这个"字"呀，他就拿颜色什么的在一张不干的纸上画出一个圆圈来，或画出一个直道来，然后把水汪在这个纸上，水不渗下去，把颜色往里灌，一个笔道里灌一段红，灌一段绿，灌一段黄，灌一段白，灌一段什

启功《论书绝句》之九二

　　么。这样一个圈里有各种颜色，变成这么一个花环，这样就摆脱了字形了。我见过一本这样的著作，这样的作品，是印刷品。还有把这个笔画一排，很匀的一排，全是道儿，不管横道还是竖道，它也是各种颜色都有，还说这东西古代也有，就是所谓"折钗股"、"屋漏痕"。雨水从房顶上流下来，在墙上形成黄颜色的那么一道痕迹，这本来是古代人所用的一种比喻，是说写字不要把笔毛起止的痕迹都给人看得那么清楚，你下笔怎么描怎么圈，怎么转折，让人看着很自然就那么一道下来，仿佛你都看不见开始那笔道是怎么写的，收笔的时候是怎么收，就是自然的那么一道，像旧房子漏了雨，在墙上留下水的痕迹一样。这古代的"屋漏痕"只不过是个比喻，说写字的笔画要纯出自然，没有描摹的痕迹。满墙泼下来那水也不一定那么听话，一道道的都是直流下来的。摆脱字的形体而成为另一种的笔画，这就与字形脱离，脱离倒是脱离了，你这是干什么呢？那有什么用处呢？在纸上横七竖八画了许多道儿，反正我绝不在墙上挂那么一张画，我也不知道是什么。我最近头晕，我要看这个呢，那会增加我的头晕，有什么好处呢？

　　所以我觉得创新、革新是有它的自然规律的。革新尽管革新，革新是人有意去"革"是一种，自然的进步改革这又是一种。有意的总不如无意的，有意的里头总有使人觉得是有意造作的地方。这是第一章讲的这些个小点，就是我认为写字首先要破除迷信。破除迷信这个想法将贯穿在我这十几章里头。

第二章

**【释文】**

　　又有人任笔为书,自谓不求形似,此无异瘦乙冒称肥甲。人识其诈,则曰不在形似,你但认我为甲可也。见者如仍不认,则曰你不懂。千翻百刻之《黄庭经》,最开诈人之路。

又有人任筆而書、自謂不求形似、此乃興瘦乙冒稱肥甲。人識乙詐曰日不在形似、你但認我而甲可也見者如仍不識、則曰你不懂。千翻百刻三黃庭經、最開詐人之路。

# 第二章　字形构造应该尊重习惯

字形是大家公认的,不是哪一个人创造出来的。古代传说,仓颉造字,仓颉一个人闭门造车,让天下人都认得,这都是哪儿的事情呢?并且说"仓颉四目",拿眼睛四下看,看天下山川草木、人物鸟兽,看见什么东西然后就创作出什么文字来。事实上是没有一个人能创作出大家公认的东西来的,必定是经过多少年的考验,经过多少人共同的认识,共同的理解才成为一个定论。说仓颉拿眼睛四处看,可见仓颉也不只是只看一点儿就成为仓颉,他必定把社会各方面都看到了,他才能造出、编出初步的字形。那么后来画仓颉像也罢,塑造仓颉的泥像也罢,都长着四只眼,这实在是挖苦仓颉。古书上说仓颉四下里看变成了四只眼看,你就知道人们对仓颉理解到了什么程度,又把仓颉挖苦到什么程度

**甲骨文字形**

呢？所以我觉得文字不可能是一个人关门造出来的。这是第一点。

　　字形从古到今有几大类，最古是像大汶口等这些地方出土的瓦器上那些个刻划的符号，有人说这就是文字最早的初期的符号，那我们就不管了。后来到了甲骨文，还有手写的。殷也罢，商也罢，只是称谓那个时代的代号吧。甲骨上刻那些个字，现在我们考证出来前期、中期、后期，它的风格也有所不同，但是毕竟是一个总的殷商时期的文字。那么殷商这个时代，后来和周又有搭上的部分，就是金文（铜器上的文字），跟兽骨龟甲上的不一样。在今天看来，甲骨、金文，都缺一个统一的写法，它有极其近似的各种写法，可没有像后来的各类楷书、草书那样一定要怎么写，还缺少那么一个绝对的规定。但是现在研究甲骨金文的人，也考证出来，它在这种不稳定的范围里头，还有一个相对稳定的"例谱"可以寻找，这个是我们请教那些古文字学家，他们都可以说得清楚的，这个东西是有共同之处的。甲骨文是先用笔写在甲骨上，然后拿刀子刻，有的刻

金文字形

完了还填上朱砂，为好看好认识；还有拿朱笔拿墨写出来的字没刻的。这些你问古文字学家，他们也都能找出在不稳定的范围里头所存在的共同的相对稳定的部分。为什么呢？要是一点儿都不稳定，那后人就没法子认识这些个文字到底是什么字了，现在甲骨文、金文那些个字还是可以考得出来的。比方说，甲骨文现在有许许多多的考证，有许多认识了的字，还有许多字好多专家还在"存疑"，还有争论，可绝大部分现在都考出来了。又比如金文，像容庚先生的《金文编》，那也是个很大的工程，金文里头绝大多数的字基本上认识得了。至于说他那里头一点儿失误、一点儿讨论的余地都没有了吗？那谁也不敢说，可总算是在不稳定的范围里头还仍然有它使人共同认识的地方。

　　这些共同可认识的地方缘何而来呢？就是由于习惯而来。所以我说字形构造，它有一个几千年传下来的习惯。那么我们现在要写字，人家都用那么几笔代表这个意思，代表这个内容，代表这个物体，我偏不那么写，那是自己找麻烦。你写出来人家都不认识，你要干什么呢？我在门口贴个条儿，请人干个什么事情或者说我不在家，我出门了，请你下午来，我写的字人家一个也不认识。我约人下午来，人家下午没来。我写个条让人家办个什么事情，人家都不认得，那又有什么必要写这个条呢？我讲这中心的用意，就是说字形

秦漢碑中篆隸形有人傅會說真行迷
圈狂草尋常見可潯追源云拉丁

启功《论书绝句》
之九五

构造应该尊重习惯。不管你写哪一种字形,写篆书你可以找《说文解字》,后来什么《说文古籀补》、《续补》,三补几补,后来还有什么篆书大字典、隶书大字典等等,现在越编,印刷技术越高明,编辑体例也越完备,都可以查找。草书、真书、行书这些个印刷的东西很多。你不能认为我们遵从了这些习惯的写法,我们就是"书奴",写的就是"奴书",说这就是奴隶性质的,盲从的,跟着人家后头走的,恐怕不然。为什么呢? 因为我们都穿衣裳,上面穿衣裳,下面穿裤子。你说偏要倒过来,裤腿当袖筒,那脑袋从哪出来呢? 这个事就麻烦了。无论如何你得裤子当裤子穿,衣服当衣服穿,帽子当帽子戴,鞋当鞋来穿。所以我觉得这个不是什么书奴不书奴的问题。从前有人说写得不好是书奴,是只做古人的奴隶,其实应用文字不存在这个问题。我写字就让你们不认得,那好了,你一个人孤家寡人,你爱怎么写就怎么写,与我没关系。那你就永远不用想跟别人沟通意识了,沟通思想了。所以我觉得写出字来要使看者认识,这是第二点。

　　第三点,长期以来,在不少人的头脑中有一种根深蒂固的想法,就是古的篆书一定高于隶书,真书一定低于隶书,草书章草古,今草狂草就低、就今、就近,这就又形成一个高的古的就雅,近的低的就俗的观念。这个观念如不破除,你永远也写不好字。

　　为什么有人把同是汉碑,就因为甲碑比乙碑晚,就说你要先学乙碑,写完了才能够得上去学甲碑呢? 那甲碑比乙碑晚,他的意思到底是先学那个晚的呢,还是先学早的呢? 他的意思是由浅入深,由低到高,先写浅近的,写那个俗的,再写那个高雅的。我先问他同是汉碑,谁给定出高或低的呢? 谁给定出雅的俗的呢? 这个思想是说王羲之是爸爸，王献之是儿子，你要学王献之就不如学王羲之，因为他是爸爸。我爱学谁学谁，你管得着吗？王羲之要是复活了，他也没法来讨伐我，说你怎么先学我的儿子呀？

宋刻宋拓王献之《洛神赋帖》

真是莫名其妙。从前有一个朋友会画马，他说他和他的学生一块开一个展览，说是学生只能画赵孟頫，再高一点的学生只能画李公麟，他只能画韩干、曹霸。韩干的画还留下来几个摹本，那个曹霸一个也没有了。那他说，我应该学曹霸，你查不出那个曹霸什么样来，那我就是最高的了。如果有个学生说，我要学韩干，这个师傅就说你不能学韩干，我配学韩干，你只配学任仁发、赵孟頫。真是莫名其妙。那个曹霸他学得究竟像不像，谁也不知道。如果说你是初中的学生，不能念高中的课本，这我知道，因为他没到那个文化程度、教育的程度。但是这不一样，艺术你爱学谁学谁，爱临谁临谁，我就临那个王献之，你管得着吗，是不是？所以这种事情，这种思想，一直到了今天，我不敢说一点都没有了。我开头所说的破除迷信，这也是一条。

第四点,还有一个文字书,就是古代的字书,比如说《说文解字》,里头有哪个字是古文,哪个字是籀文,哪个字是小篆,哪个字是小篆的别体,哪个字是新附新加上去的,这本书里有很多。到了唐朝有一个人叫颜元孙的,他写了一部书,叫《干禄字书》。干禄就是求俸禄,做官去写字要按那个书的标准,哪个字是正体,哪个字是通用,哪个字是俗体,它每一个字都给列出这么几个等级来。颜元孙是颜真卿的长一辈的人,拿颜真卿的一个个字跟他上辈的书来对照,可以看出颜真卿写的那些碑,并不完全按他那个规范的雅的写,一点没有通用字,也没有那个俗字,并不然。可见他家的人,他的子侄辈也没有完全按照他那个写法。像六朝人,有许多别字,比方像造像,造像一躯的"躯",后来身子没了,只作"区"。六朝别字里真奇怪,这个区字的写法就有十几种,有的写成匧,有的写成區。那么这區字到底是什么呢?不过它还是有

明拓颜真卿书《干禄字书》局部

个大概轮廓，人一看见这区字，或许会说这个写字的人大概眼睛迷糊了，花了。多写了一个口字，少写两个口字，还可以蒙出来，猜出来，仍然是區。这种字有人单编成书叫

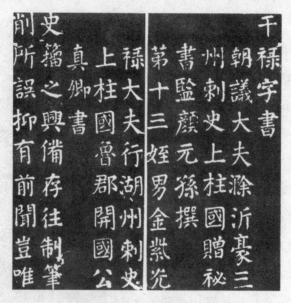

明拓颜真卿书《干禄字书》局部

《碑别字》，在清朝后期有赵之谦的《六朝别字记》，现在有秦公同志写的两本书叫《增补碑别字》，他就看古代石刻碑上的别字，但是他怎么还认得它是那个字写法呢？可见在不一样的写法里头，还可以使人理解、猜想，认识它是什么字，可见最脱离标准写法的时候，它还有一个遵守习惯范围的写法。

　　还有篆书,有人说篆书一定要查《说文解字》。有本书叫《六书通》,它把许多汉印上的字都收进来了。有人说《六书通》里的字不能信,因为许多字不合《说文》。他没想到《说文解字》序里头就有一条叫缪篆这样一种字体,"缪篆所以摹印也",缪篆是不合规范的小篆,拿它干什么呢? 是为了摹印的。可见摹印又是一体,就是许可它有变化的。你拿《说文解字》里的字都刻到印里头来,未必都好看。说《六书通》的字不合《说文》,那是没有读懂这句话。还有后来《草字汇》,草字的许多写法,比如说"天"是三笔,"之"也是三笔,"与"也是,不过稍微有点不同,可是那点不同它就

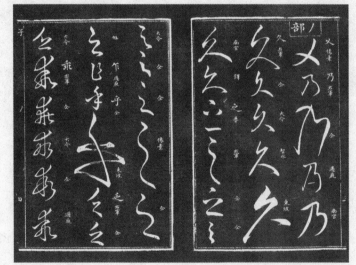

《草字汇》内页

说明问题。"之"字上头那一点,写时可以不完全离开,上头一点,下面两个转弯,有的人也带一点儿牵丝连贯下来。你说它一定不是"之",你从语言环境可以看出来,所谓呼出来,蒙出来,猜出来,你不用管怎么出来,它也是语言环境里应该用的字。既然这

21

样，可见那个语言环境也证明是习惯。

现在写字不管这个，说"我这是艺术"，那不行！别的艺术，比如我画个人，他总得有鼻子有眼睛。如果你画一只眼，画几只眼，那是神是鬼我不管，问题你要画人像，总得画两只眼，即使是侧面，你也是眼睛是眼睛的位置，不能眼睛在嘴底下。字还是得遵从书写的习惯，那么别人也会有个共同的认识，这样才能通行。要不然你一个人闭门造车，那我们就管不了。这是第二章。

第三章

　　碑版法帖，俱出刊刻。即使绝精之刻技，碑如《温泉铭》，帖如《大观帖》，几如白粉写黑纸，殆无余憾矣。而笔之干湿浓淡，仍不可见。学书如不知刀毫之别，夜半深池，其途可念也。

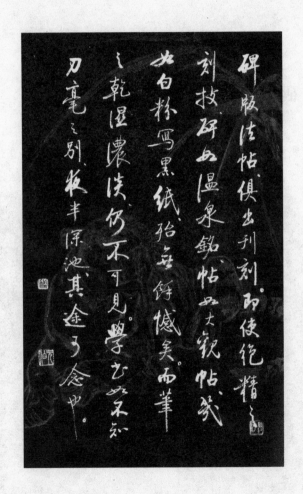

碑版法帖俱出刊刻，即使絕精
刻拓碑如溫泉銘帖如大觀帖，我
如白粉寫黑紙，殆無餘憾矣，而筆
之乾濕濃淡，仍不可見，學此不知
刀毫之別，較半深池，其途了然也。

# 第三章　碑和帖

这两个字需要解释一下。什么叫碑？碑本来是一个矮的石头，在什么上用呢？是

唐碑形制之一

汉代曹全碑

坟墓前面立这么一块石头,原来是为拴绳索好把棺材放到坑里去,这个用途先不管它了。这块石头桩子上刻上字,说明这是谁的坟,就是这么一个意思。后来又扩大了,这人活着给他立个碑,因为他在这儿做过官,拍这个官的马屁,歌颂他这个官怎么怎么有德政,然后是又怎么样,这么一个纪念性质的碑,这上面刻着的字就是碑文。为什么在这上刻字,就是为让过路的人看明白,这是为谁立的碑。这样碑上的字尽力要写得让大家都认得,都是当时通行的大家公认的字。

在最初写这碑的人并不一定是什么名家,什么书法家,什么学者,什么官,把它写清楚了,就行了。如果写出来人都不认识,那就麻烦了,就会发生误会,所以碑上的字呢,都是当时正规的字体。到了唐朝初年,唐太宗爱写字,学王羲之,他就写行书字,他可能不大会写楷书字,或者他写楷书字不是他的

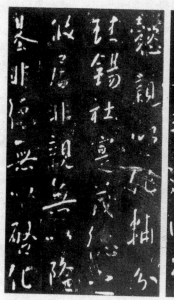

唐太宗书《晋祠铭》(局部)

27

拿手好戏。他写了两个碑，一个叫做《温泉铭》，一个叫《晋祠铭》，就用行书字书写。他的儿子李治也用他这个字体给许多大臣写碑，也都是行书字体。唐朝初年，李世民父子都用行书写碑，这是用行书入碑的一个开始。武则天为她的面首（什么叫面首呢？就是她的情人吧）张昌宗立碑，说张昌宗是王子晋的灵魂脱生的，就在东山这地方把传说是王子晋的坟给挖出来了，挖出来一瞧，也不能证明是王子晋，就在那儿立了个碑，叫《升仙太子碑》。是完全用草书写的，被称为草书写碑的开端。从这以后，抄写书，抄写文章，抄写佛经的论，都用草书来写。孙过庭的《书谱》是草书写的，慈恩宗的那个法

唐太宗书《温泉铭》(局部)

象那些个论都是草书。虽然有这么一个时代,有这么一个风气,就影响一段时间里的字体。但是,碑还是以楷书为主要的。为什么?他要写了行书草书,就失去了广大读者认识的作用。

后来赵孟頫写楷书总带点行书味道,他不是一笔一画死猫瞪眼的那种楷书字,就是六朝的造像那种方头方脑的字。再后来特别是清朝末年,就特别提倡写碑,这个碑就是方头方脑的字。把写碑的叫碑学。打阮元起,就是道光年间,就有这种提法了。后来像叶昌炽,像杨守敬,一直到康有为,都是讲碑字好,是至高无尚的,完美无

武则天书《升仙太子碑》(局部)

缺的。其实碑字本身的历史也有变化。原来是楷书字,后来有行书字,有草书字,那碑字并不能纯代表六朝的那些字体。可是他们这些讲碑的,难道碑上字都是标准的吗?那么武则天的"升仙太子碑"他怎么看?《温泉铭》、《晋祠铭》又怎么看呢?所以他叫碑

王羲之《十七帖》(局部)

学,这种说法本身就不完备,逻辑就不周密。

我们现在讲帖。什么叫帖?帖本来是一个"字条"。北京话叫便条,随便写的小纸条。我给某人写一个简单的小便条,说我什么时候有工夫,咱们什么时候见个面,就这么几句话,这种东西的名称叫"帖儿",原是给朋友看的,不是郑重其事的,是很随便的。六朝时,流传下来许多王羲之的字条,三行两行,甚至一行也有。有的"帖儿"甚至是给某人写一封信送去了,他要是个大官呢,就在那信的尾上给你批回话,比如人家说请你来一趟,他批"即刻去"三个字,也就是答复那个意见。这种东西叫"字帖儿"。这种东西本来和碑不是一回事,碑本来是让人认识,起告诉别人作用的。字帖呢,无所谓。咱俩你写给我我写给你,两个人心里明白,心照不宣。多草的字,只要这两人认识不就完了吗?

那么帖流传下来就一张纸片,很容易丢失。唐太宗喜欢王羲之的字,就搜集王羲之的字。其实打梁武帝那儿已经就喜欢搜集了。零七八碎的条给他裱成这么一个卷儿。由于有这么一个帖,一丈多长,是王羲之写给四川一个地方官叫周甫的信,开篇有"十七日",写的是日子,今儿个几号,后来管它叫《十七帖》,这就不通了。不是十七张字帖,而是十七日写的帖儿,起头一个名就叫做十七帖。这东西是许多小字条儿,两行也有,三行也有,就打那儿起就有好些帖了。到宋朝有《淳化阁帖》,就是把许多的六朝人的字,汉朝人的字,还有仓颉的字编在一起。有的是假的,胡给你凑上的。这个东西原来是淳化年间刻在阁(皇帝秘密藏书的书馆)里的,叫《淳化阁法帖》。后来简称为《阁帖》。这里摹刻了许许多多连真带假的古代人的字迹。《淳化阁帖》刻得既潦草,翻刻的又很多,越来越多,后来就说它没有一个刻得好的、逼真的、表现很美的那种字,都

《淳化阁帖》书影

少诋汉魏怕徒劳简摩摹莩未羕遭堂

独甘卑爱唐宋半生师笔不师刀

启功《论书绝句》之九七

是大路货。所以这个碑和帖的问题，并不是说帖就是低的，碑就是高的；也并不是说王羲之那个时候一定都得写成那个方头方脑的字才是王羲之。说《兰亭序》是假的，前一段时间不是有过辩论吗？有人说它是假的，就是因为它的字不是方头方脑的。这个咱就不谈了。

碑和帖的作用就是这样的。并不一定写碑就是高尚的，就是正统的。有人把碑上字拿来写信，写便条，那非常可笑，一笔一画地写，写了半天，人说你怎么这么费劲呀？还有清朝有个人叫江声，他干脆给人写信都用篆书。给他的一个听差写个条，让听差的买东西去，他用隶书来写；让大师傅去买菜，开个菜单，大师傅说你这是什么菜呀，我不认识。他说隶书呀，就是给你们奴隶们看的字，你们连隶书都不认得，那你不配给我做奴隶、做大师傅。江声就有这样一个笑话。你说我写个便条"请你来一趟"，这五个字都要写得跟六朝造像碑一个样，那算干什么呢？帖本来就是两个人认识，朋友之间，熟人之间互相写，我写得再草，写成密码，只要他认识不就完了吗？当然，写这种帖的草书便条也还有一个共同认识的标准、习惯。

所以碑和帖没有谁低谁高的不同，只有用途上的不同。说是我要喝汤,拿着调羹拿着勺。我要夹个菜,我拿着两根筷子夹。那不能说汤勺是高,筷子就低,问题是你吃饭时,是勺和筷子都要用的。这种事情多了。服装上,用具上,下雨我打伞,不下雨我就不打伞,那么说打伞就是高明的,不打伞就是俗人,没有这个道理。这里只是一个工具、符号、用途的不同,比如说,记音乐的谱子,有简谱,1234,还有五线谱,那么后来有留声盘,再后有录音带,再后有光盘,有光碟,你说这谁古?可以说最早的是工尺谱,一个字旁边注明唱工尺……,就代表这个字唱的时候是这个音。那么工尺谱、简谱、五线谱、留声盘、录音带、光盘,你说谁古谁雅?工尺谱最古,是不是最雅?那么现在唱古调,已经有光盘了,你非得回过去,用工尺谱给它记下来,就雅了吗?我认为这个高雅与低俗完全不能这样往上套。

艺术风格是随人的爱好而定的。我不反对已有的艺术风格,比如说,我们现在住在一个砖瓦房的四合院,上边有瓦,底下有门窗,有柱子,跟洋楼不一样。你说让我住洋楼我也没意见。让我住四合院,我也没意见。或者有人偏重爱好某种建筑物,那也可以。说我穿个中式的小褂,中式的裤子,跟穿着西装也没有什么不同。看什么时候用什么服装,没有什么高低之分,没有什么雅俗之分。有人喜欢看造像石刻,看那武梁祠,那很笨、很原始的刻法。有人特别喜欢木版画,这本来无所谓。还有人喜欢戏剧人物的服装、脸谱,我觉得还是平常人的脸好看一点,化装自然可以美观一点儿,可在脸上画得花里胡哨的,画得乱七八糟的,红的绿的一道道的,包公脸上还画个太极图,画上许多图案,是什么意思呢?可有人对这特别喜欢,那我也不反对,他爱喜欢就喜欢,反正我不能画个花脸上街。今儿个开个会,我画出个逗哏的脸。《白水滩》那个花脸包公,你涂上满脸墨,那人家不准你进来了,说这人干么呢?问题是你喜欢我不反对,你有自由,但是我没法按那个办。实用跟个人爱好,跟个人偏好,那是两回事。比如字,我们现在说写美术字,写招牌,我写美术字,那更有自由了,你爱什么写什么,但是写美术字我得先拿尺子、铅笔画出道道来,哪一笔怎样,得画出美术字体的效果。反正我给别人写个信,写个便条,我不能用美术字,用美术字太费时间了。我不反对个人对艺术风格的爱好,我也不反对对于某个古代的某种不成熟的,或者在成熟过程中所经过的某种字体的偏爱,但是我们不能拿我所爱好的一种东西强加于人,说你必须这样才高级,那样就低级。

第四章

【释文】

主锋长，副毫匀。管要轻，不在纹。所谓长锋，非指毫身。金杖系井绳，难用徒吓人。

《笔箴》一首赠笔工友人

主鋒長、副毫勻。管要輕、不在仗。
所謂長鋒非指毫身。金杖縈井
繩、雞用徒嚇人。

筆箴一首 贈筆工友人

# 第四章 文房四宝

只要一提书法，就必定连上文房四宝。这种连法也不知是谁规定的。这四宝是什

东汉麻纸　　　　　　　　宋代粉笺

么东西呢？就是纸、笔、墨、砚。

清初磁青纸

先说这头一个纸。练字根本不存在一定要用什么样的纸的问题。我们现在拿报纸、包装纸，或者硬纸壳都可以练字。有人还在练字也买成刀的宣纸来练，我说你好阔呀，练字还使那好讲究的宣纸，那是不是太高级了。有人说练字一定要用元书纸，这也有点教条，什么纸不能练呀！报纸已经看过了，如果没有存留的必要，那你就拿来写，一个已经过时的刊物，你拿来作练习不也一样吗？我的意思就是说，纸不一定要什么样的纸，才算是练书法的纸。

笔，说是书法一定要用毛笔。现在又提出硬笔书法。硬笔指的是什么呢？指的是钢笔、圆珠笔之类的笔。硬笔书法这是一个流派，好像是很新。其实呢，古代少数民族用的写字的工具，就是一个竹子签，竹子棍，

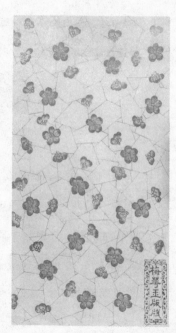

清梅花玉版笺

拿刀削成一个斜坡,成为鸭嘴型,中间拿刀劈开一个缝儿,它就吸取墨,然后再用人的头发捆成那么一撮,给它剪齐了,搁在一个罐里头,把竹笔往里头那么一插,然后提出来就写,跟现在西方用的鹅翎管是一个样的办法。现在的钢笔头也是用这个办法演变过来的。这是一种。欧阳修的母亲拿一个荻子棍,在土上画字,教给欧阳修认字,那也是硬笔书法。我并不是"古已有之论",而是说我们现在有也不必大惊小怪。说你们使

"大明万历年制"款毛笔

毛笔,我就使硬笔,那也不一定,中国地方大,民族多,用什么笔都有。钢笔、圆珠笔、铅笔都是硬笔;毛笔里头有紫毫、狼毫、羊毫,还有麻(把麻捆上)。还有一种叫作茅龙的笔,就是茅草梗子扎成的,明朝人陈白沙(献章)就是爱使这种茅龙笔。所以这笔也不一定要什么样才算书法专用笔。

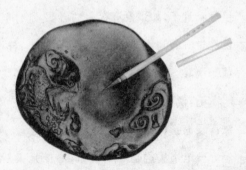

清"万年青管"笔

40

唐"文府"墨

清「曹寅监制」款「兰台精英」墨

　　墨,古代是拿制成的固体墨块搁在石头砚上研。与其现写现研,不如现在的墨汁,现在有许多墨汁,一得阁的墨汁呀,什么曹素功墨汁呀,这已很平常。把墨汁倒在砚台里,往里头加点儿水,让浓度适当,就行了。写钢笔字还有钢笔墨水,蓝黑墨水、黑墨水等等。

启功书《砚铭》二首

砚，砚台更不用说了。当然什么石头都可以。古人讲究，是因为拿它当个玩赏的工具，一边研墨一边观赏，像一块古玉似的，摸着又很光溜，上头又刻着什么字，比如什么铭呀，是哪年买的呀，谁送的呀。砚台也有各种砚材，端石啦，歙石啦，古瓦古砖也行。容庚先生有块大砚台，他会刻印，在砚台背面刻字，他作一部书，就刻上一行字：某年月日，某部书编成了；又某年月日，这部书又修改了。打开那一尺多大的大砚台，背后一行行字纵横交错。可惜当时没拓下来。那个东西很有意思，那是记功碑，曾经编过什么什么书，怎么怎么样，这等于一个很有意思的纪念品。

纸笔墨砚在今天，不是说没有用，是用处远远不够了。比如说纸，必定得使宣纸，如果有人给我个金笺，上面压着金子，或是某种有名的花笺，我准写不好，我说你拿回去吧，还不如我这白纸，写坏了我还可以另换一张，要拿一张好纸我准写不好。他说你试试。我说试试，你的纸写坏了你负责，我

汉代云龙纹圆石砚

唐端石凤字形砚

明端石雕牛望月砚

清端石瓜式砚

43

启功《论书札记》之一

负不起这个责，我不写。有人把整刀的宣纸拿来练字，我说实在是太浪费了。古人有几种办法，有把砖拿来，用湿笔蘸上香灰，或把香灰用水和好，用笔蘸上往砖上面写，等干了你看好不好，或者擦上再写，或者都写上，等于有灰的那一面，把笔蘸白水在上写，也可以练习，这是一种。还有呢，古代怀素院子里种得有芭蕉，他把芭蕉叶子拉下来，当纸在上面写字。这些足以说明什么样的纸都可以用。笔呢，也不一定是什么毫，狼毫、紫毫、羊毫都可以。当然笔呀，有点关系，笔要是写得不合手，还是不好受。苏东坡说过，好受的笔，写着让人手里拿着不觉着有笔，说明这笔很适合自己的习惯。纸也有这个问题，墨也有这个问题，墨稠了稀了，纸是生了是熟了，有的纸拿湿笔往上一搁，

那么一洇，这样写着也会使人兴趣败坏。怎么样写适合自己的习惯，这只有个人的习惯问题，没有绝对的标准，一定得用什么样的纸，什么样的笔，什么样的墨，砚台更不用说了。所以我觉得所谓四宝，没有一个绝对的好坏标准，只要你使得习惯，写起来特别有精神的那一种，就是最好的。

第五章

或問臨帖苦不似奈何，苦々曰：求不能似且每人能似也。惟有似雪六只為暑似、貌似局部似，而非真似。尚能之即得真似，則任徉必不以簽押為依據矣。

# 第五章　入门练习

　　学写字有次序，怎样入门，从前有许多的说法。有些个说法，我觉得是最耽误事情的。首先说是笔得怎么拿，怎么拿就对了，怎么拿就错了；腕子和肘又怎么安放，又怎么悬起来。再说是临什么帖，学什么体，用什么纸，用什么格，等等的说法都是非常的束缚人。写字为什么？我把字写出来，我写的字我认得，给人看人家认得，让旁人看说写得好看，这不就得了吗！你还要怎么样才算合"法"呢？

　　关于用笔的说法，我们下一章再解剖、再分析。现在我们先从入门得用什么纸说起。从前有一种粗纸，竹料多，叫元书纸，又叫金羔纸。小时候用这种纸写字非常毁笔。写了没几天，那笔就秃了、坏了，是纸上的渣子磨坏的。还有一种，是会写字的人，把字写在木板上，书店的人按照这字样子，把它刻成版，用红颜色印出来，让小孩子按着红颜色的笔道描成墨字，这样小孩子就可以容易记住这个字都是什么笔划，什么偏旁，都用几笔几划。这种东西打从宋朝就有。这些字样大都是"上大人、孔乙己、化三千……"我小时候还描过这种红模子。还有的写着"一去二三里，烟村四五家"这类的词语。都是用红颜色印在白纸上，让孩子用墨笔描。词儿是先选那些个笔划少的，再逐渐笔划加多。这除了让小孩子练习写字之外,还帮助小孩熟记这些字都共有哪些个笔划,这是一种。再大一点的小孩就用黑颜色印出来的白底墨字,把它搁在一种薄纸底下,也就是用薄纸蒙在上头,拓着写。这是比描红高一点的范本。这种办法无可非议,因为小孩不但要练习笔划,练习书写的方法,还要帮助他认识这个字,巩固对这个字的记忆。

再进一步就是给他一个字帖,把有名的人写的,或者是老师写的,或者家长写的,

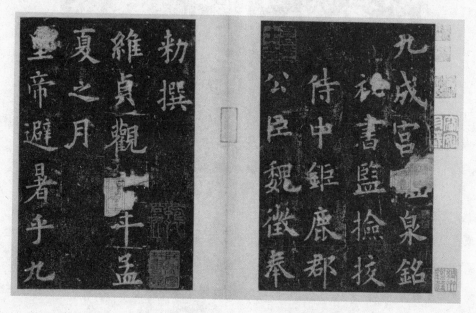

宋拓唐刻欧阳询《九成宫醴泉铭》

明拓褚遂良书《雁塔圣教序记》局部

或者是当代某些个名人写出的字样子，也有木版刻印出来的，也有从古代的碑上拓下来的。比方说欧阳询《九成宫碑》、褚遂良《雁塔圣教序》，又比如像颜真卿《颜家庙碑》呀，《多宝塔碑》呀，柳公权《玄秘塔碑》呀等等，这种字多半不能仿影，因为比较高级、珍贵，如果用纸蒙着描，容易把墨漏下去，把帖弄脏了，多半是对着帖看着它描，仿着它的字样子来写。这办法人人都用。我们现在随便来练字，也都离不开临帖。比如我们得到一本好帖，或某一个人写的我很喜欢，不妨把它摆在旁边，仿效他的笔法来写，可以

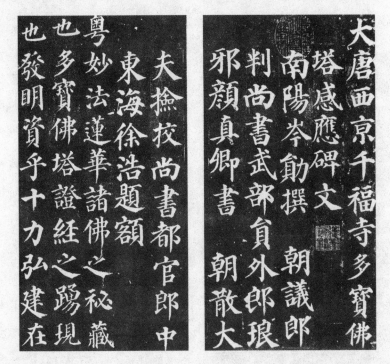

颜真卿《多宝塔感应碑》局部

提高我们的书法水平。但是这种办法有一个毛病，总不能写得太像，因为眼睛看的时候，感觉上觉得是这样，比如"天"两横，我觉得这两横的距离是多宽，头一笔短一点儿，

51

第二笔横长一点儿,第三笔这个撇儿撇出去从哪儿到哪个地方才拐弯,这个捺的捺脚又怎么样了,摆在什么地方,这都是看起来容易,写起来难。赶到都写完了,拿起来一比,甚至于把我写的这个字与帖上那个字摞起来,对着光亮一照,那毛病就露出来了,相差太多了,几乎完全不一样了。这样就有些人越写越灰心,没有兴趣了。说我怎么写得老不像呢?它总是不能够那么逼真的。因此就有许多的说法。

清朝有一个人特别主张读帖,他说"临帖不如读帖"。临帖是用眼睛看着效仿它的样子来学,读帖是拿眼睛看这个帖,理解这个帖,心里想着这个帖,然后拿笔不一定照这个帖就能够写出来。也许说这个话的人出这个招的人他能做到,但是他做到的时候是多大岁数,是他到什么程度的时候才做到这样的,这个谁也不知道。也许已经写了多少年,自己成熟了,然后就说我就是这么看一看就理解了这个字,那就是程度不同了。我们也有这个

柳公权《玄秘塔碑》局部

时候，比如说，我是在街上看到某一个牌匾，某个名人写的一个牌匾，看着很好看，自己心里也很想仿效他用笔的那个意味来写，可是他那个匾挂在铺子上头，我不能说给人家摘下来，那个时候照相又不那么方便，像现在拿个小照相机，老远你都可以把它照下来，那时候不容易。那么这个时候仿效，就等于读帖之后背着来临这个帖。这是不得已的事情，还要看什么程度。你想小学生你就让他去读那个帖，这话都是不实际

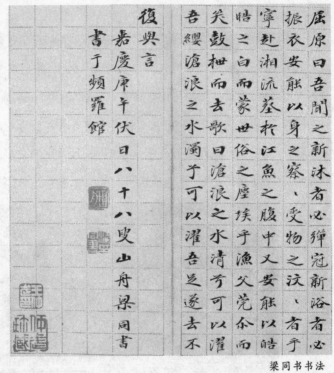

梁同书书法

的。说这个话的人叫梁同书，是清朝乾隆时候的人。他写的字你看不出来是有意临哪一家哪一派，他就那么写。他有一个论书的文章，有两句话，说"帖是让你看的，不是让你临的"。这句话我给他改一个字，这个帖是让"他"看的。他要看我管不了，他已经死

了,他爱看不看我管不着,但是我只凭着看脑子记不住,我不拿手实践一下,没法子印证这帖是怎么回事情。

还有一个临碑临帖存在的问题。在从前印刷术还没有现在这么普及的时候,不管多大的名家的笔迹,都仗着把它刻在木版或石头上,然后椎拓下来,这就变成了黑底白笔划的字,这时不管刻工刻得多么逼真,一丝都不走、一丝都不损失、不差样子,但是多高明的刻工、多讲究的拓本,它也只有那个字的外部轮廓,里边墨色的浓淡,也就是用笔的轻重,墨的干湿就无法看到了。拿笔一写,拉下来之后笔就破开了。开始墨还多的时候,笔毛还拢在一起,到了笔划末端笔头就散开了,这种地方特有名称管它叫"飞

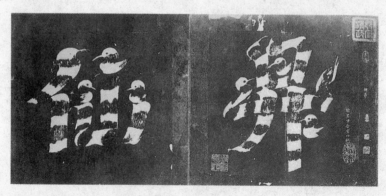

飞白示意:武则天《升仙太子碑》碑额

白",因为它不全是黑颜色了。干笔破锋所谓飞白的地方是最容易表现出(被学的人看出)写字的人用力的轻重、墨蘸的多少(这一笔蘸的墨写到什么地方墨就没有了、少

了）。这种地方是很有关系的。你要是照相制版,看起来就明白得多了。这一笔所用的力,是哪一点最重、哪一点轻,可以看得清清楚楚,但是在刻本上,你多大本领的人,你也没法子看出这些过程来。

不同的碑、帖,笔划有刻得精致,有刻得粗糙的。我们看唐朝刻的碑,就非常地仔细,后来石头磨光了、笔划磨浅了,这样的不在少数。看唐朝的碑最早的拓本,刻出不久时候的拓本,那是比较精致的。魏碑,北魏的碑特别像龙门造像,那些造像记,在墙上在石洞里头刻的时候,是用力气在上锤、凿,这样就费事很大。结果刻出来的笔道,现在我们看龙门造像,每一笔都是方方正正的,两头齐,都是很方很方的,一个一个笔划都是方槽。这样写字的人就糊涂了,怎么回事呢?他不知这个下笔究竟怎么就能那么方呢?我们用的笔都是毛锥(笔有个别名叫毛锥子,像个锥形,是毛做的),用毛锥写不管怎样,总不同于用板刷。用排笔、板刷写字下笔之后就是齐的,打前到后这一横,打上到下这一竖,全是方的。但是写小字,一寸大的字,他不可能用那么点儿的板刷,像画油画的那种小的油画笔来写,若都用那种笔来写,也

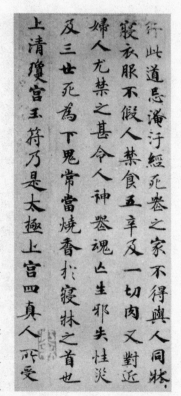

唐钟绍京《灵飞经》局部(帖写)

太累得慌，太费事。所以就有人瞎猜，于是用圆锥写方笔字又有说了，说是笔必须练得非常的方。我已经见过好几个人，他们认为这些个字必须写得方了又方，像刀子刻的那么齐。我心里说，你爱那么方着写我也管不了，与我也没关系。别人每分钟可以写五个字，他是三分钟也写不了一个字，因为他每一笔都得描多少次。这种事情我觉得都是误解。

碑上的字，给人几种误解，以为墨色会一个样，完全都是一般黑，没有干湿浓淡，也没有轻重，笔划从头到尾都是那么写的。还有一种就要求方，追求刀刻的痕迹。清朝有个叫包世臣的，他就创造出一种说法来，说是看古代的碑帖，你把笔划的两端（一个横划下笔的地方与收笔的地方）都摁上，就看它中间那一段，都"中划坚实"，笔画走到中间那一段，都是坚硬而实在。没有人这样用笔。凡是写字，下笔重一点，收笔重一点，中间走得总要快一点，总要轻一点，比两头要轻得多，两头比中间重一些。在这个中段，你要让它又坚又实，怎么办呢？就得平均用力，下笔时候是多大劲儿，压力多大，一直到末尾，特别走到中间，你一点不能够轻，一直给它拉到头。"中划坚实"这东西

唐钟绍京《灵飞经》局部（碑刻）

呀,我有时开玩笑跟人谈,我说火车的铁轨,我们的门槛,我们的板凳,我们的门框,长条木头棍子,没有一个不是中间坚实的,不坚实中间就折了。这样子要求写字,就完全跟说梦话一个样。

我说这是用笔的问题,而为什么会出现这样胡造出来的一种谬论、不切实际的说法呢?都是因为看见那刀刻出来的碑帖上的字,拓的石刻上的字,由于这个缘故发生一种误解。这种误解就使学写字的人有无穷的流弊,也就是说所临的那个帖它本身就不完备。这不完备是什么呢?就是它不能告诉人们点画是怎么写成的,只给人看见刀刻出来的效果,没有笔写出来的效果,或者说笔写出来的效果被用刀刻出来的效果所掩盖。碑和帖是入门学习的必经之路,必定的范本,但是碑帖给人的误解也在这里。现在有了影印的方法就好多了。古代的碑帖是不可不参考的,但是我们要有批判的、有分析的去看这个碑帖。入门的时候不能不临碑帖,而临碑帖不至于被碑帖所误,这是很重要的。

第六章

先摹赵董后欧阳，晚爱诚悬竟体芳。

偶作擘窠钉壁看，旁人多说似成王。

先摹趙董後歐陽晚愛誠懸竟體芳偶

作擘窠釘壁看旁人多說似成王

# 第六章　学书"循序"说

　　学习书法应该有次序，由浅入深，由近及远，不管什么学问都是这样的。这个特别值得说一说。学写字应该有个循序渐进的次序。这没问题。但是什么是次序？什么是浅，到什么程度是提高、是深？说法就很不一样了。

　　许多人看见古代的字是先有篆，到汉朝有隶，魏晋以后有楷、有草、有行，于是有两种误说：一种认为凡是古代的字的风格、形体就是高的，就是雅的。后来发展的那个字就是低的、俗的，就是近的，甚至不高的、不雅的、没价值的。有人就说学写字你必须先有根底，先学篆，篆字好看了再学隶，隶学好了再学楷。我这一辈子总共才活几十年，有人一辈子写篆也还

毛公鼎铭文拓片

没写好，那这个一辈子到了临死也还没有写隶书的资格，为什么？篆书还没写好。按这种胡说八道的说法，那只能是说，没有文字之前是结绳记事（今天我办了个什么事就在绳子上结个扣，明儿又一个什么事再结一个扣，这是还没有文字之前的初民用的办法），那么我们请问，什么时候有的篆？比篆还早的时候是结绳记事，那你学篆还得先学结扣，结成一个疙瘩一个疙瘩的然后你才能写篆？说疙瘩都结好了才能学篆学隶。我请问他一句话：就是"好"，怎么样才算好？恐怕说这话的人也没法回答。因此篆和隶就难说有什么高低、古今、雅俗等等差别了。

同是篆这一种字体，又有人给它定出来差别了，说你要学篆书，得先学某一个铜器。周朝的铜器，比如毛公鼎、散氏盘。其实在铜器里头，那个散氏盘的字是最不规范、最不规则的。那个毛公鼎字数最多，是周朝铜器里头很有价值的，问题是价值并不在字的样子，而在于它记录了许多古代的历史。散氏盘更是某一个部落（部族）记载它的事情的，那个字并不是周朝正规的那种字样。我小时候有一位老先生，他专写篆隶，写得好。他自己发愤

散氏盘铭文拓片

石鼓文拓片

宣布，说我要临一百遍毛公鼎、散氏盘。因为它是铸出来的，这样子再写二百遍它也像不了。他为什么要写一百遍毛公鼎、散氏盘呢？他认为这是基础，熟悉了毛公鼎再写其他篆书就都可以通了。这个事情，我看见同是这位老先生，让他写秦朝的秦刻石就不如他临毛公鼎的好。可见认为临某一个帖、某一个碑作基础，就可以提高到写一切碑、一切的字，这是不正确的说法。比如古代篆书的石刻石鼓文，确实是很正规，也很整齐，笔道都很匀实。但是你写石鼓文，石鼓文里的字是很有限的，石鼓文之前的字，比如《说文解字》里的九千多字，那决不是石鼓文所包括得了的。并且《说文解字》是小篆，石鼓文与《说文》中的籀书很相似，所以也不能是写了石鼓文别的就都懂得了。

篆书是这样，隶书呢，也这样。说你写汉碑，你必须先写《张迁碑》，《张迁碑》写好了，再写其他的碑就行了。据我知道，有人写《张迁碑》，像清朝后期的何绍基，就专临

张迁碑局部

《张迁碑》。他临《张迁碑》就为凑数,他自己临过多少本《张迁碑》,我看是越到后来的,比如他记录第五十遍,那越写越不好,为什么呢? 他自己也腻了,他是自己给自己交差事。我有一个老同学,跟一个老师念书,这个人他已经工作了好几年,他父亲有钱。三十多岁了回头再跟老师来学,我也跟那个老师学。他在家每天要临《张迁碑》几张字,我到他屋里去看,他写的字用绳子捆了在屋角摞起来,跟书架子一般高,两大摞,都临的是《张迁碑》，每次用纸写完之后拿绳子捆一下撂起来。我是熟人了，我把上头的拿下来看，是最近临的，我越往下翻越比上头的好，越新的越坏，因为他已经厌倦了，他自己给自己交差事。今天我可点了多少卷的书，也不用问他那个字点得对不对，我也不知道，也没法细看。他临的那个《张迁碑》呢，总可以一目了然。这样写只是为给自己交差事，并不是去研究这个碑书法的高低呀，笔法呀，结体呀，与这些个毫不相干了。

我看过商务印书馆印的何绍基临的十种汉碑，那真有好的，临的《史晨碑》、《礼器碑》，

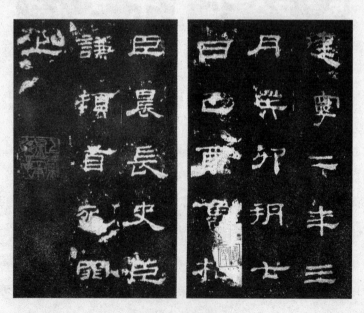

《史晨碑》局部

《礼器碑》局部

为什么那样便宜呢？已经没有人买了，一大摞一大摞的。我还看过翁同龢临的《张迁碑》，梁启超临的《张迁碑》，就是在琉璃厂那些字画铺里看见的。都是他们自己用功的窗课，当时都很便宜。当时有一度我也想，这总算是名人用的功，为什么不买一本？后来回想我当时为什么没买，我瞧实在是一点意思也没有，所以我没买。后来追想，幸亏没买，买了也是废物，搁那白搁着。

现在想来，有人说你临某一个碑，把这个碑写好了，打下基础，然后再临别的碑。我想这个人临这个碑还没临好呢，他脑子里已经厌烦写字了，一点儿兴趣也没了，你让他再写别的，他永远也写不好。比如说，何绍基后来晚年写的字，那真叫不知是什么，哆里哆嗦的全都是画圈，那个时候他已经手也胀了，肿了，也没有精力再往好里写了。所以他那些个《张迁碑》的基础究竟起了正面

何绍基书法

67

作用还是起了反面作用，我真是很怀疑。可见说哪一个碑、哪一个帖作基础，你这个基础会了别的都会了，这是不可能的。

这一章里我还有一点儿补充。就是有人对于这个字体也有说法，说是欧阳询在唐初，虞世南更早一些，颜真卿和柳公权晚一些，说你应该先学欧，再学褚，再学颜，再学柳。这个次序是他们这几人（欧阳询、褚遂良、颜真卿、柳公权）生存时间的先后，但是我们学他们，没有法子按他们生活年代、生活年龄来学。因为我们毕竟比他们差一千多年，也不可能按这个次序去学。从前还有人说，柳字出于欧，"出于"两个字实在可怕得很。说欧阳通出于欧阳询这我信，欧阳通是欧阳询的儿子，他儿子出于父亲那是真的；说颜真卿的字、柳公权的字就出于欧阳询，他出不来，他离欧阳询远得很哪！欧阳询想要生出柳公权来，他够不着，中间差着很多年，不能欧阳询先生一个欧阳通，过了多少百年又生出一个柳公权来，没有这个事情。所以凡是这种说法，谁在先，谁在后，谁出于谁，你要先学会谁然后你才能再学谁，这种理论我觉得都是胡说八道。

第七章

【释文】

赵松雪云,"书法以用笔为上,而结字亦须用工",窃谓其不然。试从法帖中剪某字,如"八"字、"人"字、"二"字、"三"字等,复分剪其点画。信手掷于案上,观之宁复成字?又取薄纸覆于帖上,以铅笔划出某字某笔中心一线,仍能不失字势,其理讵不昭昭然哉?

赵松雪云书法以用笔为上，而结字亦须用工，盖结字因时相传，用笔千古不易。试将法帖中剪某字，如八字、人字、三字、三字等，分剪至点画，任手掷于案上，观之审后成字，又取纸覆于帖上，以铅笔划出某字每笔中心一线，仍能不失字势，其理诏示弍弍。

# 第七章　"用笔"说

　　本来笔是一种工具，就是画道的棍，你拿这个棍前头绑一撮毛，拿这蘸上墨或别的颜色往纸上画道就完了，这有什么神秘的讲法呢？后来许多的书把用笔这个事情说得非常神秘，并且说只要是你会用笔呀什么都解决了，用不着提字怎么写，什么体，全都是说你只要会用笔就行了。你甭说用笔，你给我个树枝，在地上画不也可成字吗？我写的你也认得，那么这有什么可神秘的呢？

　　这样的议论，在许多古代讲书法的书里都可以见到。越往后这个问题讲得越神秘。你比如像我前边刚说过的包世臣，讲用笔怎么讲，康有为又怎么讲。还有奇怪的，像包世臣这类的书法理论家，他就讲王羲之为什么爱鹅。说这鹅脖子是长的，脑袋上头还有一个包儿，说王羲之手里拿着笔呀，这个食指往上拱着，食指往上拱着很像鹅的脑袋那个包儿，王羲之写字为什么爱鹅呀，就是爱鹅头上那个包。到这份上他就不是讲写字了，那就是造谣了。王羲之爱鹅就是爱那个包儿，我爱鸭子没包儿，怎么办呢？这完全是越说越神。还有说王羲之爱鹅，他给人家写《道德经》，写完就把道士养的一群鹅用筐子拿回去了。拿回去王羲之究竟是吃了呢，还是养着下蛋呢？这历史上也没交待。可是这个东西打这儿就越说越多了。说王羲之什么都与写字有关系，我看讲这些事情的书是越看越生气，恨不得把那些书都撕了。这些说法完全是造谣生事，完全是穿凿附会。

我们就知道元朝赵孟頫写字写得真漂亮，写得真讲究，他也学王羲之，特别是学王羲之的《兰亭序》。他得到一本刻本的兰亭，后头呢，作过十三段的跋，这里头提到过一句"书法以用笔为上，而结字亦需用功"这句话。我就说，书法以用笔为上，当然你笔是要会用的，运用得好，笔毛听话，当然写出来效果是好。可是这个不是什么神秘的事。你把笔蘸上墨，在砚台上片得不出纸叉，写起来这个笔画就是圆的。这不很自然吗？他认为书法以用笔为上，而加一个转语，结字亦需用功，就把用笔放在第一位，把结字放在第二位。那么我们稍微冷静想一下就可以知道，比如说，我写一个"三"字，写一个"土"，写一个"王"，写一个"土"，这样的字笔画最简单，"三"和

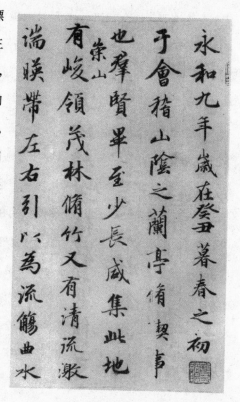

赵孟頫临《兰亭序》卷（局部）

"王"的笔画有三横,我们普通写法至少三横让它匀,距离差不多,事实上前两横靠近一点儿,后一横稍远一点儿,这样它就好看。如果你故意把前两横拉得宽,后一横跟第二横离得窄,你这样写出来就不大好看。为什么不好看?它就是从来有这么个习惯,大家就都这么写。这个"王"字,中间这一横要短一点儿,上下两横要长一点儿,这样这个字就好看了。你假定我偏把中间这个横写长了,两边宽出了头,这个就不是"王"而是"壬"字了。"土"字和"士"字,"土"字底下这横长,"士"字底下这横短,那我故意把底下这横写长了呢,它就不是"士"而是"土"字了。诸如此类。这个结字呢,我觉得关系到这个字念什么,代表什么意思。甲音字跟乙音字的差别,在这点儿上至关重要。我光把点画写得非常好,而点画的位置长短高矮全错了,那我写得再好,用笔十分的好,也不是那个字。这个道理是非常明白的。我们把王羲之的帖拿过来,拿剪刀把它铰下来,每一个笔画铰成一个纸条,我把它搁在手里,比如这个王字四笔,我把这四笔描出来,把它拿剪刀剪下来,剪成一笔一笔的单个笔画,放在手里头摇一摇,让它乱了,往纸上那么一扔。你再看这个字,这笔画全是王羲之帖上的,用笔形状一点儿都没有错,都是王羲之的原样,可是我这一扔在纸上,你再看绝对不是王羲之写的"王"字了,甚至这字念什么我们也不认识了,因为已经完全变了。这个道理浅近极了。那么究竟用笔为主呢,还是结字为主呢?这是不待言的了。

可是你看许多讲书法理论的书,没有不是把用笔两字说得那么神秘,那么了不起,那么难办的,甚至这人写了一辈子,你也不会用笔,如果你写的字给人家专家看,他就说,你的字写得还凑合,就是用笔不对。这样的事我碰见过很多了。我把笔给他,说你就给我写一个,用笔怎么才对呢?结果他写出来比我还不对。现在我就把这个道理在这里交待一下,想学字的朋友首先要破除的迷信就是所谓用笔论。把这个用笔说的神秘得不得了,别人都不会,就是他一人会。王羲之死了,就他是惟一的会用笔的。至于结字的重要,随后我们再说。

现在专说工具——笔。我们看到出土的,古代有三类的笔,到我们现在制造的笔,已经是第四阶段了。可以说从殷商甲骨文一直到了战国时期竹木简、盟书,那时用的笔都比较简单,一撮小细毛,绑在一个小细的竹棍上,然后蘸着墨往上写很小的字。那时候大概做笔的工艺、办法还比较简单。汉朝又是一段。居延出土的文物中有一支笔,这支笔是一个竹棍的一端劈成四瓣,把一撮毛拴成一个毛锥子,然后把毛锥子嵌在四瓣的中间,拿一根细线把它捆起来。这种笔头是灵活的,很像现在可以换笔头的蘸水钢笔。这样笔尖写秃了,可以把笔毛揪下来,再换一撮毛。居延出土的这种笔,后来还有人仿做过一个模型。我们知道汉朝的隶书,它有顿、挫,所谓蝇头燕尾,开头下笔时重一些,末尾像一个燕子的尾巴,像是后来写楷书的捺脚一样。汉朝碑里、木简里头出现这种笔画的姿态,就因为它的工具有了进步。六朝到唐又是一阶段。我们现在看见唐人的笔,日本人在唐代带回国去藏在他们的正仓院有这样的笔。那个笔头呢肚子大,笔尖尖长,看起来像一个枣核那样,可是半个枣核。枣核不是两头尖吗?它是套在笔管里边的那头尖看不见了,就是笔管底下的这头。肚子大笔头尖,所以写出来就有

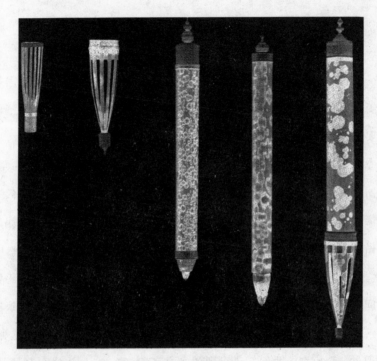

唐代的毛笔

六朝、唐人写字的那种风格。这种笔在日本也有仿制的模型。这种样子的笔,比汉朝人的笔又进了一步。到了宋元明以后这一段,就不再费这么大事了。这时的笔多半是跟现代的一样,就是笔根里头衬上一点儿短毛,是做的时候衬在里头的,前边的毛一般是齐的。这种笔叫作"散卓笔"。这种笔你蘸了墨水前头就拢起来了,也算有一点儿尖儿,可是笔根上很有力量。这种笔制作起来费事。现在买的笔特别好使的、带有这样讲究做法的,也就不太多了。

现在都讲长锋,那是误解,从前讲笔锋长,锋呀是指笔尖儿的部分,那个地方长一点儿,为什么呢?下笔的时候好有尖度。现在把这锋呀理解为从笔毛塞在笔管里的那地方起始到笔尖这一段,都要很长很长,这越长它越没有力量。那么蘸上水呀,这个笔就像一个拖地板的墩布,一个大木头棍儿前头拴着一堆布条子,你蘸上水之后,它完全垂着来回晃,只能拖地,不能写字。现在新做的笔,往往只在笔杆上下很大功夫,或者给它画上花刻上花,笔毛就是越来越长,全都是那么一个细长条的笔毛,没有根,拿起笔来东倒西歪。这样的笔就是会写字的人恐怕也难写出好字来。

从前人有这么一句俗话,善书者不择笔,就是说会写字的人拿起什么笔都能写。这话用在鼓励人,说这人本事大,那也可以。比如拿刀切菜,有人善于切菜,不讲究刀,也可以这么讲。但是你给他刀没有刃,就是一个铁片,我看他也切不出什么菜的样子来,更不用说切这个肉片了。这完全是一种鼓励的话,善书者不择笔,这是一个有目的的、有策略的鼓励人的话,而事实上,你给他没毛的笔,他不也不会写字吗?看来笔这工具还是很重要的。

苏东坡说过一句话,说好的笔是什么?好的笔是在你写字时,手里不觉得有笔,这种笔就是最好的,就是他选笔要合他的手,合他的习惯,合他手的力量,不管是什么毛的笔。从前有人喜欢使紫毫(兔子毛),或者是狼毫(黄鼠狼毛),或者是羊毫。其实呢,

启功《论书札记》之一

没有里头不掺麻的。有这么一句话"无麻不成笔"。笔里头总要垫上衬,衬这个笔毛,从笔头中间裹头的芯一层层往外裹。所裹的是各种毛,里头总要衬垫一点儿麻,它就挺脱。关于笔工的做法有很多说法,我们只能够懂得一点儿大意,自己没有去实际做过笔,我在这里只是说一个大概。所以说用笔,你要看是什么样子的笔,什么材料的笔,就刚才我说的拖地板的墩布形状的笔,你给多么善于用笔的人,他也写不了字。你给他一个大墩布,说你给我写个黄庭经小楷,你要写不上来,那你就不善于用笔。你这样说:如果你写不来我就惩罚你。恐怕就是王羲之来了,他也只得认罚,没办法。

这是我第七章特别要讲的道理。我特别强调这个道理,也就是想和想学书法的朋友们谈一谈,千万别被用笔万能论、用笔至上论、用笔决定论这些个说法所迷惑。若是非要这样,你干脆放弃,我不写了。要是听这样的话你永远写不成。

第八章

【释文】
　　用笔何如结字难，纵横聚散最相关。一从证得黄金律，顿觉全牛骨隙宽。

用筆何如結字雖縱橫聚散景相岡一

從證得黃金律頓覺全牛胃隙寬

# 第八章　真书结字的黄金律

楷书又叫真书。结字有个规律，规律就是合乎黄金分割即黄金率，这是我偶然发现的。我曾经看唐人和北朝著名碑版上的楷书字，我拿一个画画放大用的塑胶片（这种塑胶片现在街上有卖的，是为画画放大用的，它分成两部分，一部分是比较小的方格，一部分是长方片），我用那部分比较小的方格，就把这种坐标格罩在字帖上。比如一个字，我把它每一个笔画都给延伸了，延长了。好比说左边是个三点水，江、河、湖、海之类的字，头一笔从左上往右下来点儿，我把它当作一个歪斜的道儿，第二笔又延长，第三笔从下往上去又延长，它们交叉的地方有一个交叉点。右半的字，比如"海"字每一笔都延长，又有几个交叉点，（这些个交叉点，我们在这里没法说了，只有在纸上画出来才明白，这里不妨简单地口头说一下。）我发现这些个交叉点中主要的有四个。或许有的字没有这些个笔画，并不全都占有每个交叉点，可如果占有的话，总是这四个交叉点最要紧。这四个交叉点在哪儿呢？假定是一尺三寸这么大的一个正方形，我每隔一寸就给它划一条直线，横竖都一样，就成了 169 个小方格。这样在中心的部分，左边的空格是五个，中间的空格是三个，右边的空格又是五个，这是横着的；上下也是，上头五个空格,中间三个空格,底下五个空格。这样那个从左往右数第五个空格的右下角,那是一个交叉点,从这再往右数第三个空格的相同犄角又是一个交叉点。从上往下也是这样。结果中间部分是九个小空格。于是上边横着数是五、三、五,竖着往下数也是五、三、五。要是左上边的交叉点我们管它叫 A 点,右上边的交叉儿我们管它叫 B 点,左下边这点儿叫 C 点,右下边这点儿叫 D 点,那么这四个交叉点就是古代字的结构所注

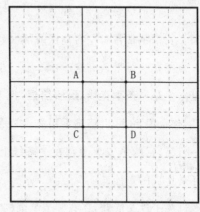

结字"黄金律"示意

重的地方。有的字不完全那么准确,不那么机械,但是它重要的结构以这四个点为重点,是最要紧的地方。

在从前有米字格,有九宫格,还特别说写字要讲中宫,中间那一宫,那结果呢,把米字格都给画出来了,斜着对角两道线,横着竖着两道线,中心最多的交叉点把那当作中心。把这个中心当作字的重心来写,那么写完之后,每一个字的末尾准侵占到下一格的头上来,总要往下推。假定这一片纸是三行九个格,那么我写三个字,第三个字的下半拉,准到那格子底下外边来。我以前不知这是怎么回事,自从我发现了这结字的黄金律,在下笔开始写的时候,起首时注意左上角的 A 点,收尾时注意右下角的 D 点。这样就绝不会出这个格了,它准都在格子里头。

　　写行书也是这样。你对楷书字结体的重点要是理解了，写行书也容易做到行气贯通。行书字常常有左右摇摆的情形，写出来龙飞凤舞的，为什么有行气？细看，它那个Ａ点都在一行里头。这一行不管多少字，你把每个字中Ａ的交叉点都给它画出来，它基本上是一条垂直线，虽然摇摆，也差不了太多。所以这一行行字叫气贯。这气在哪儿，你也摸不着，也感觉不出来，事实上就是这字的连贯性。那么我们就看出来了，这一行字，它的Ａ交叉点都在一条线上。这个字不管左右摇摆到多厉害的程度，它的气还是连贯的。

　　关于这个问题，还有些个笔画的"副作用"的问题，就是说左紧右松，上紧下松。比如写"川"字，三笔。第一笔第二笔靠得近，第三笔跟第二笔离开可以远一点儿。刚才说"三"字，第一横跟第二横挨得要紧，第二横跟第三横距离可以松一点儿，这样就好看。总之，凡是紧的密的要靠左边靠上边，可以松一点儿、可以宽一点儿的要靠在下边，靠在右边。这样子写出来就好看。

　　还有一种，是横笔，一定要写起来自然向右上微微的斜一点儿。最害人的一句话叫"横平竖直"。你要写字真正按这个横平竖直去写，是怎么看怎么难看。我小时候写字，大人在旁边拿个棍儿，拿个笔杆瞧着，我的笔往上歪一点儿，就梆的给我手指头打一棍儿："你横不平！"于是我就注意横平，结果怎么写怎么不好看。其实这个横所谓的"平"是有条件的。我们若是把现在的报纸拿过来，头版头条大字，我们拿起来对着灯光反过来照，它的横画还是有往右上走的一种趋势。你正面感觉不到，再仔细瞧，每个横画右边总有一个小三角。你是不是想过那个三角为什么不画在底下，为什么画在横的上边？它与毛笔写字有什么关系呢？平时我们写字，停笔的时候总要驻一下，上头就冒出一个尖来。给这个冒出的尖绝对化图案化，就是这个横上边画着的三角。这个横画，原本就微微向右往上撞一点儿，再加上一个三角，这样子，这笔画自然就形成了从左往右往上去的趋势。

报纸上的印刷体字示意

再说竖，现在所谓宋体字。一个竖本来就是一个竖方条，上边右上角斜着去一点儿，右下角斜着又去一点儿，上边右半缺个角，底下右半缺个角。这使人感觉这种竖呀不是直的，它是弯的，微微的有一点儿弯。两端右边去个角，就让人感觉像有一个弧度。这个弧度冲左，鼓的那部分向右。我问过人，你们制造个字模的时候为什么要这么做，他也说不上来。我觉得这正是我们要打破横平竖直这个谬论的一个证明。

以上说明我们在写字时，第一，不要注意中宫，而要注意四个五比八的交叉点；第二，就是不要真正的横平竖直。凡是注意中宫这个观念和一定要横平竖直观念的，他再写一辈子也写不好。我敢下这个断语。我郑重地报告想练字的朋友，要特别注意这个问题。我这个说法曾发表在香港一个叫《书谱》的杂志上。我们学校的秦永龙同志他编的一本书，叫《楷书指要》，他这书里头有一章，就完全引录了我的这些说法。我跟他提出来，请他就把我这一段我自己的一得之见，纳入到他讲楷书的这本专著里。现在我不晓得还有哪位注意过这问题，大概还有别位的著作里头也引用过这些话。刚才我又说了这个事情，我在这里是强调它的重要性，并不是因为这是我说的它才重要，是经过实践证明它是重要的，所以"实践是检验真理的惟一标准"。我现在引用这句话，是想说明我的这些个说法，是经过实践，受过检验的。

第九章

学书所以宜临古碑帖，而不宜但学时人者，以碑帖距我远。古代之纸笔，及其运用之法，俱有不同。学之不能及，乃各有自家设法了事处，于此遂成另一面目。名家之书，皆古人妙处与自家病处相结合之产物耳。

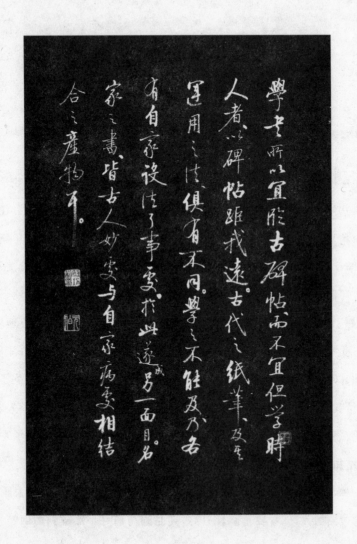

學書所以宜於古碑帖而不宜但學今時
人者以碑帖距我遠古代之紙筆及墨
運用之法俱有不同學之不能及於名
有自家設住了事變扵此遂另一面目
家之書皆古人妙處与自家病處相結
合之產物耳。

89

# 第九章　如何选临碑帖

现在谈一谈如何选临碑帖的问题。我常常遇到人说,你给我讲讲,我学哪个碑、哪个帖好啊。这使我很为难。我说你手边有哪个,你喜欢哪个就学哪个。往大里说,好比我要找对象,我问人:你看我找胖子好,还是瘦子好?我找一个多大年纪、找哪一个省份的、找学什么的好?你想要问人家这个,就是多么有经验的人也没法子给你解决这个问题。写字也一样,你看我学什么好?我就碰见很多的人这样说:啊,你要先写篆书,篆书写好了再写隶书,隶书学好了再学楷书。我以前已经苦口婆心地说了若干回这个问题。我实在对这种说法深恶痛绝。我就问,我什么时候才算学好了篆书?我又什么时候才算写好了隶书呢?我篆书得完全写好了,老师判分及格、过关了,然后我再写隶书,谁给我判分呢?有人写了一辈子,也不算写得多么好。那这个人永远一辈子也不能学第二种碑帖,这可怎么办呢?我认为没有一定标准。那你要学写字,先学结绳技术,学结扣,扣结好了,然后再学写字。

还有一种,有人拿着画版不管是到哪去写生,就比如说到公园里去画牡丹、画芍药。他问你过路的人,你看我是画牡丹好,还是画芍药好?那碰到的回答一定是你爱画什么画什么,我管得着吗?还有人到饭馆去问服务员:你说我今天吃什么?这服务员一定没法回答你。你想吃鸡、吃鱼、吃牛肉、吃猪肉、吃羊肉,你自己想好再要菜,我只能告诉你我这儿有什么菜,我不能管你想吃什么,就是这个道理。诸位是不是在听了我这句话之后,你也回想一下,是不是咱们也曾拿这话问过别人,说:先生您看我临什么帖好哇?现在有一个最方便的条件。比如说我们到书店看,开架摆在上头有各种各样的碑帖,各种各样的教人入门的东西。在各种字体的各种名家的碑帖中,欧体的也有好几种,柳体的也有好几种,我们可以去翻,去选择。

　　人哪,苦于不自信,特别对于写字,我遇到些人,多半不自信。为什么不自信?就因为他觉得神秘。为什么他觉得神秘?是被某些个特别讲得神秘的人,打开始就把他唬下去了,给他一个吹得绝对神秘的印象,说这可了不得,你可不能随便写,必须问人怎么怎么样,说了许多神秘的话,使你根本就不敢下笔,也不敢自信。我说那

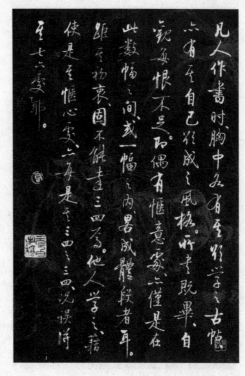

启功《论书札记》之一

91

么你自己喜欢什么呢？"依我看那个好。"依我说你觉得好就是对了，为什么还要问别人呢？就如同说吃饭要菜，你觉得好吃的你就要。搞对象，你觉得哪个好，觉得这人好，就可以跟他搞。那么这也是很平常的。你到这时你偏不自信，为什么？就因为许多讲书法的，特别是著名的人，特别是他讲要用什么方法来学来写，把你唬住了。实在说这些人有功劳（指导人当然算是功劳），当然他的罪过也不小。

启功《论书札记》之一

我还碰见这样的人，比如说不管年轻的，多大岁数的，他一进门对我毕恭毕敬，恨不得给我跪下，说是你得接受我这诚恳的要求，请你指点我怎么写。怎么指点呢？这不像神仙，说有一个神仙拿手这么一指，拿手一摸他脑袋，打这儿这人就完全顿悟了，就完全行了。有人点石成金，就拿手指一指，石头就变成金块了。他就是这样想法。我只好说你太可怜了，你让这样的谬论给迷惑住了，以为写字简直是神秘得不得了。你得先把这些个全给摆脱了。你到书店去看，桌上摆的，书架上陈列的，你拿过来，你够不着,就让售货员拿过来看看。不合我的胃口的,我还给人家:劳您驾,再拿一本我看看。有什么不可以呢? 现在的碑帖比古代那个翻刻了多少遍的碑帖保持原样太多了,它是照相制版印的,连这黑色,干笔湿笔都看得出来,看起来和写的原迹一样,看上去心明眼亮,写起来也有趣味。过一阵子觉得不满意了,再买一本,价钱都不贵。你与其花很多钱买很多宣纸来练习,你不如拿那个钱买两本帖,在手边常常看,常常临,常常写,比看那些理论书要强得多,收到的效果快得多。我认为选择碑帖,哪个好? 你最喜欢哪个就选哪个。也允许趣味变,我昨天喜欢这个,写一段时间觉得不对路,那我再换一个,有什么不可以呢。这是一种。可有的人说,你不要见异思迁,即便非常不愿意写,你也得硬着头皮往下写。如果我换一个帖,那岂不是见异思迁了吗? 有人就跟我说这话,我就拍桌子:我就见异思迁又怎样呢? 又有什么原则、有什么了不起呢? 只不过是换一本帖,换一本书,有什么不可以换着瞧呢? 这是一种,帖可以由自己来选择,可以换。

选帖来临,又有一个新的问题出现。我临了半天它怎么老不像? 我回答他,你永远也像不了。我学我父亲写的字,怎么也学不了;学我哥哥弟弟写的字,也学不了;学我老师的字,我也学不了。可能有点儿像,旁人看了觉得有点儿像他老师的字,或者真有点儿像他父亲的字,可你细分析起来,它毕竟还有点儿不同,为什么? 因为签字画押在法律上生效。就是张三签的字,在契约上,在公文上,在什么上签的字,这个到法律上生效。有人仿造他的签字,也会被法律专家辨认出来。你冒充别人签字绝对不行,为什么？就是因为某甲的字某乙学不像，学不了。也正因为如此，对于古代的书画，这是真迹，那是仿本，那是临摹的，这可以看出来。为什么？因为它有它的特殊规律。那我学不像，我干嘛还学呢？这是又一问题。你学的是那种方法，照他那样写，我们看着就好看；违反那样的规律来写，我们看着就别扭。这是写某一名家、某一流派是这样的，换一流派呢，又有第二流派的特点。我们要明白，每个流派不同，每个古代书法家的特点不同，他们的书写方法也有他们的规律。我们学的是他们的方法，怎么样写就好看。不过是这样罢了，并不是说要一定写得完全和他们一样。

从前的人得不到好的碑帖。赵孟頫在跋兰亭序后头有两句，说："昔人得古刻数行，专心学之，便可名世。"从前人得到古的石刻，他没有影印本呀，只有摹刻下来的碑或帖，就剩下那么几行字。"专心学之"，一字一字都得细细地理解，要紧的是专心学之。"便可名世"，就可以得到社会的称赞，社会承认他好。这两句话呀，实在很重要。可见古人得到好的碑帖的困难。得到几行字，专心学习，也可以出名，我们姑且甭管，说我几儿出名也先甭管。我们现在容易买到的绝不是古刻数行，就是古人亲自写的墨迹，那个照片，那个影印本，于原样一丝不差的，我们现在就可以完全拿到手。那写得好写不好，就看我们专心不专心了。

我现在要说的选临帖，还有最后一条，有人拿来碑帖，把它搁在前边或左边，拿眼睛瞧一眼，这是"天"，拿笔就写一个"天"，有一个"人"，拿笔写一个"人"，有一个"地"，就写一个"地"。写完了一瞧，一点也不像，那么就很灰心，甚至于很恼火：我为什么写不像？我觉得你缺乏一个调查研究。你可以拿透明的纸，或者塑料薄膜（笔蘸上墨，它不粘那薄膜，稍微刷一点儿肥皂，墨在薄膜上就粘了），你把帖放在底下，拿薄膜给它描一下，这有什么好处呢？你就调查研究，看这个的"天"两横距离是多长多宽；这一撇下去，从两横哪个位置到哪个地方往左往下，到哪个地方拐；然后这捺又到哪儿拐。这样子你就调查明白了，原来这个"天"写的时候是要这样。我们为什么必须描着它那样子

呢？那我反过来问你，你为什么要临这本帖呢？你拿笔爱怎么写怎么写，那就错在你先要临帖了。你不会不临帖吗？我就永远自个儿闯，随便这么写。我的"天"这两横差一尺，左右一撇一捺差一寸，我偏这么写，你管得着吗？那你爱怎么写怎么写，咱不抬杠。你既承认要学这个碑帖，那咱就说要过临帖这头一关。你拿眼睛看了就觉得印象准对，那不一定。

启功临《玄秘塔碑》

你拿笔在纸上写出来跟那帖不一样。我曾经说最好你把帖搁在左边,拿笔仿效它写一回,第二回拿薄膜描一回,调查研究它这几笔,究竟那一笔在什么位置? 这两笔这四笔,它们是什么关系,距离多宽,拉着多长,这样实际调查。经过第二次调查,第三次再拿眼睛看一回这字再写。第一次写跟第三次写是一样的办法,中间经过一个确确实实的调查研究,经过这样一个阶段,这样子你每一个字都经过这三遍,假定限定一百字,你每一个字都这样写三回。你再写第二遍,就截然不一样了。所以我觉得你要临碑帖就要明白:第一我为什么老临不像? 第二我又干嘛要临它。我觉得选碑帖临碑帖可以有自己的创造性,也可以按照古代已有的方法去做,吸取其中最有效的成分,为我们所用,为我们创作做借鉴。

第十章

古人席地而坐,左执纸卷,右操笔管,肘与腕俱无着处。故笔在空中,可作六面行动。即前后左右,以及提按也。逮宋世既有高桌椅,肘腕贴案,不复空灵,乃有悬肘悬腕之说。肘腕平悬,则肩臂俱僵矣。如知此理,纵自贴案,而指腕不死,亦足得佳书。

古人席地而坐，左执纸卷，右操笔管，肘与腕俱无著处。故笔在空中可作六面行动。即前後左右以及提按也。速世既有高桌椅，肘腕贴案，不復空灵，乃有悬肘悬腕之说。肘腕平悬则肩臂俱僵矣。如知此弊，纵自贴案而指腕不死，亦是得佳书。

# 第十章  执笔法

刚才不是说，你不会用笔啦，等等，先拿"用笔"的大帽子一砍，这人就闷了。底下就全不会，我不会执笔，我不会用笔。打这就心灰意冷，那干脆就退出这学习班，退出这练习班。我们就甭写了，就放弃了，就完了。

要知道执笔拿笔的办法并不难。古代人拿笔跟现代人拿笔不同在哪儿？古代，就是打五代往上，唐朝还这样子。唐以前，都是席地而坐，跟现在日本人的生活一样。席地的"席"是什么呢？为什么吃饭又叫摆席？这个席，就是地下铺的凉席的席。一大块席，几个人坐；一小块席，一个人坐。那么这古人写字席地而坐，笔砚也搁在席上。左手拿一纸卷，或者一竹简（汉朝人用竹简、木简），右手拿毛笔，就这么写。随写左手就往下放这个纸卷，越写越往后，所以中国的手卷是从右边往左一行行写的。这纸卷原来是卷紧的，写完头一行就松一点。一行垂下去就再写第二行，再写第三行，再写第四行。这样子写，拿笔就像现在拿铅笔、钢笔一样，用三个手指就这么拿这个笔。这三个手指只能这样拿，笔是斜着的，左手拿着纸卷或是木头片，也是斜着的，笔对着纸卷是垂直的。就这么写下来，很灵活，要练熟了，笔画灵活而不呆板。这是没有高桌子以前,拿笔写字的情况。

到宋初以后有了高桌子、高椅子,人就坐在高椅子上趴在桌上来写字。这样就不可能也用不着左手拿纸卷了,这纸铺在桌儿上。这笔也不能用三个手指斜着拿了,那不行了,这笔得立起来,才能跟纸垂直,怎么办呢? 就得变为前四个指头拿笔,食指中指在管外头,无名指贴在管里头,拇指在管里头。这样就拿住这个笔了。笔与纸面(桌面)垂直,这么写。这样高桌把腕子托起来了,腕子在桌面上,纸也是平放着。

这样就出现一个问题,看古代人写的字为什么笔画那么灵,那么活动,而现在我们平铺在桌上写,这笔画爬在纸上很呆板,于是有人就想到像古代人那样把手腕子、胳膊都悬空起来。可他这是有意的悬,胳膊也不自然,不能像真正的席地而坐的那么灵活地写。这时,就有人拿根绳子拴在房梁上,把右胳膊吊起来。把胳膊吊起来,这腕子、胳膊悬倒是悬起来了,可古代人悬呢可以上下左右四面动,他这个悬呢是平面的,他要有上下活动,就跟绳套脱离了。虽然这个"悬"字用对了,可是提按却没有了,因为他已经不是那么灵活的用法了。所谓的悬腕是宋朝人才给它想出来的说法,而古代没有悬不悬的说法。他们无所谓悬,他就是全空着。腕没处搁,肘也没处搁。他不想悬,手也得在半空中,在半空中操作。比如说,我们现在切菜,我们熬汤,拿一个勺子在锅里和弄,这个腕,你说这还用悬吗? 大师傅早已练会了。这胳膊没处搁,腕肘没处搁,悬是很自然的。切菜,右手攥着刀把切,这肘也没处搁,这腕子也没有东西托起来,那只有悬腕悬肘切。这时我要片这菜是横着走,切这菜是竖着走,我再想给它挖一个窟窿,还转着走，这刀的走向是随便的，那还要说得拿个绳子把肘和腕子悬起来吗？自从有了高桌，才有了悬腕的说法。有了悬腕的说法，这个右臂完全僵涩，并没有真正发挥臂力自然地行使的力量。自从有悬腕说，这字就没有了自然的艺术效果。这是我的感觉。

又比如说回腕，回腕就是这腕子来回转，熬汤熬粥，拿勺子在锅里和弄，人人都会回腕。清朝有个何绍基，他的书前头还刻着一个图，这手拿起笔来呀，腕子回过来往怀里这么勾着，像个猪蹄。三个指尖捏笔管。拇指与食指中间形成一个圆洞，这叫龙睛法，像龙眼睛。若是捏扁了一点，中间并不是一个圆洞，这样又叫凤眼法。看何绍基那个图，拿起笔来向怀里拳起来，转这么一个圈，然后对着胸口。这样一看就是猪蹄。在广东，猪的前蹄叫猪手，猪的后蹄叫猪脚。这完全是猪手法。这些都是由于不明白大众生活方式、用笔方法、书写工具等等的变化，而产生的误解，跟着误解又造出许多不切实际的说法。这样只能使人越发迷惑，并不能指导人真正地去探讨这门艺术是怎么形成的，所以我觉得这些说法都是故神其说，故作惊人之笔，故作惊人之说。

第十一章

　　写字不同于练杂技，并非非有幼工不可者，甚且相反。幼年于字且不多识，何论解其笔趣乎？幼年又非不须习字，习字可助识字，手眼熟则记忆真也。

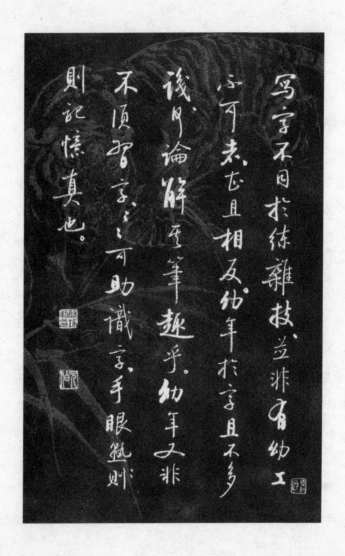

写字不日於练雜技、益非有幼工
不可妄也且相反幼年於字且不多
後則論辭墨筆趣乎。幼年又非
不須習字、亦可助識字、手眼愈則
則記憶真也。

# 第十一章　求人指正

《论语》有句话："就有道而正焉"，找到一个有道之士，这个人对事情的研究有修养。找这些个人给指正，这本来是一个很好的办法，也是求学人应该办的事情。可是学写字呀，我可是碰了许多的钉子。我也想求，人家因为岁数比我大，名气也很大，我总是毕恭毕敬地请人指教，请教人家我想入门应该学什么帖，怎么学等等问题，向人说明我的希望，而得到的结果是各种样子都有。有人他爱写篆书，他就说，你要学写字，你必须好好地先学篆书。他说了一套，什么什么碑，什么什么帖，应该怎么学。又碰上一个人，他是学隶书的，他告诉你隶书应该怎么怎么写。还有人专讲究执笔的，说你的手长得都不合适，这手必须怎么怎么拿这个笔。还有说你这腕子悬不起来。怎么办呢，拿手摸摸我的腕子，究竟离开桌子没有，悬的多高了。诸如此类，真是什么样情况都有，我听起来就很难一一照办了。比如我请教过五个人，这五个人我拼凑起来，他们结论并不一样，有的说你应该先往东，再往西，有的说你先往北，后往南，各种各样的说法。我写得了字请人看，又一个样了，说你这一笔呀应该粗一点，那一笔应该细一点儿，那一笔应该长一点，那一笔应该短一点儿。那我赶紧就记呀，用脑子记。当时他也没拿笔给我画在纸上。我听了之后，回家再写的时候，有时，我也忘了哪点儿粗，哪点儿细。还有呢，说了许多虚无飘渺的话，比如说你的字呀得其形，没得其神。哎呀，怎么才得神呢？我真是没法子知道这神怎么就得。我觉得形还好办，它写得肥一点儿，写得瘦一点儿，形还有办法；神呢，没有形，光有神。这样说得我就十分的渺茫了，一点办法没有了。后来我就因为得到的指教全不一样，我也没办法了。我听多了有一个好处，我发现多少名家，他们都没有共同的一个标准，是都要怎么样。我觉得每个人有每个人的爱好，每个人有每个人的习惯。他都是以他的习惯来指导我，并且说得非常玄妙。那我就更迷糊了。

后来，我得到一个办法，我把我写的字贴在墙上。当时贴的时候，我总找，今天写十张字，里头有一两张自己得意的自己满意的把它贴在墙上。过了几天再瞧，哎呀，就很惭愧了，我这笔写得非常难瞧、难看、不得劲。我假定这笔往下或者抬一点，粗

启功《论书札记》之一

一点或者细一点，我就觉得满意了。我就拿笔在墙上把这字纠正了，描粗了或改细了，这样子自己就明白了。后来，我就一篇一篇地看，这一篇假定有十个字，我觉得不好，这里头可取的只有一两个字，我就把这一篇上我认为满意的那一两个字剪下来贴墙上。看了看，过了几天，就偷偷地把这两字撤下来了。过些天，又有满意的又贴上。再过些天，又偷偷地撤下来。这个办法比问谁都强。假定王羲之复活了，颜真卿也没死，我比问他们还强呢。那怎么讲呢？他们按照他们的标准要求我，不如我按照我的眼光来看，我满意或者我不满意。从前有这么两句话："文章千古事，得失寸心知。"做文章是千古的事情，有得有失，别人不知道，我自己心里明白。那我套用这两句话，写字也是千古事，好坏自家知。这个东西呀，你问人家是没有用的，不如自己，求人不如求己。临帖也是一样，我临完这个帖，我写得这个字是临帖出来的，我就把我临的这本帖，跟墙上我写的那个字对着看，可以看出来许许多多的毛病。那么，我再按照在墙上改正字的毛病的经验，哪儿好哪儿坏，重新写一遍。这个时候，我所收获，那比多少老师对面指导，所得到益处多得多。这个事情是我自己得到的一个经验，我也很有把握，经过实践是有益处的、有效果的。

想学习书法，想练习书法，不管你是多大年纪都可以。有的人说你没有幼功，这个写字呀不是耍杂技，不是练习科班，练武戏，踢腿弯腰，不是这个东西。要练武功，那你非得从小时练不可，写字没有那一套。因为什么？小时有小时的好处，他脑子记忆强，说一遍记一遍，写了之后进步快。但是老年学写字，他又有比小孩高明的地方。为什么？他理解力强，他虽然没有临过帖，但是他写了一辈子字呀。他年老了，虽然没用过写毛笔字的功，但他写过，"人"字是一撇一捺，"王"字是三横一竖，他总写过。那么这样，老年人学写字有老年人的长处，他认字多，写字多。小孩写字有记忆力强的长处，但是究竟小孩写字算总数，他没有岁数大的、年长年老的每天写的那么多。比如这人是写文章的人，这人是坐办公室的人，是给人做秘书起草文稿的人，甚至于是大夫整天要给人开药方的人，全一样。他写的字总数比小孩要多。他手拿笔写这个字在纸上怎么处理，让它好看，这个经验比小孩多。所以我觉得，第一：不要自卑，说我没有幼功。你要踢腿弯腰，那非幼功不可，你老年人勉强弯

米芾临唐太宗书

腰，弯完之后进医院了。为什么呢？腰椎错位了。练字这个事情呢，跟那个不一样，跟练武功不一样。我们现在说的是实际的、有实际用处的、也方便的这个事情。这是我

的不算经验有得之谈，但至少是我经过（不是经验，而是经过），用过这番功夫，也吃过这番苦头，上过这些个当，然后现在得出这结论。第二，不要乱问人。你问多了反倒迷糊了。我不是说，名家或者高明的教师他所说的经验一点没有可取，我刚才说的不是这个意思。可取，但是我们应该怎样理解他的可取。你要是盲目、教条地照抄，不但没有好处，而且会有毛病。向人请教，求人指导，这东西不是不应该，而是很应该，但是应该有所选择，十个人说的话，我们不能每个人的都听，听了之后你就没法办了。

第十二章

　　或问学书宜读古人何种论书著作,答以有钱可买帖,有眼可看帖,有纸笔可临帖。欲撰文时,再看论书著作,文稿中始不忧贫乏耳。

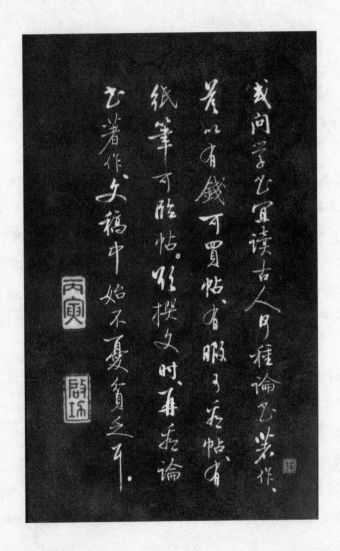

我向学书宜读古人曰程论书菉作、
著以有钱可买帖、省服于书帖有
纸笔可临帖。凡撰文时非专论
书著作、文稿中始不夏算之干。

# 第十二章　参考书

　　关于参考书,有人问我说:我学写字,看什么参考书好? 求学看参考书,这是天经地义的,毫无问题。但是学书法,看参考书,从我的经验来说,多半文不对题。我们看参考书,他告诉你拿笔该怎样,甚至给你画出图来。我的手跟他画的图不一回事。按他画的图那样拿笔能拿住了,但是我动弹不了,我在纸上写,手就不听话了。还有许多书,他都是文章写得很高明,写的文言的,词藻很漂亮,这是古代的书。瞧了半天,姑且不管懂不懂这个古代汉语确切的讲法,就算是我懂,他的比拟也非常玄妙。再看现代的,讲书法美学的,这我也看过些。有许多新的理论、新的见解。可是实际拿来,在我们写字的时候,我看的那些个理论一句也用不上。我是个笨人。有人说:你没看懂那些个高妙的哲学理论,我就能看懂。那你就请他表演,看他怎么写。反正要让我把书法美学的理论,一样一样落实在我的手写在纸上的字上,我是很困难的。我不晓得诸位朋友是不是也曾做过这种试验。

　　看古书,讲书法理论,古代的像六朝、隋唐的关于书法理论的文章,我看他们都是很好的文学作品,更直接说是美文的作品,写得漂亮,文采非常丰富。怎样就能够实用到我手上，在纸上发挥直接的作用，我现在还没发现，没写出来。就比如说"折钗股"、"屋漏痕"，这里说法多得很。"折钗股"是把这个钗（银钗、金钗）给掰折了，它那个劈茬的地方很硬，很脆。可是这句话呢，有的本子有的书上变成"古钗脚"，就跟"折钗股"不是一个概念。"古钗脚"就是磨秃的金簪银簪子，它磨得那个尖都不尖了，这个跟那个折了的劈茬儿的概念不一样。那么究竟应该是"古钗脚"对呀，还是"折钗股"对呀？字还不一样，写出来，一是折了的"折钗股"，一是磨秃了的"古钗脚"，我到底应该写成什么样呢？我反问他，恐怕他也没法回答。"屋漏痕"，我们前边已说过一些个。房顶上

唐孙虔礼《书谱序》局部

115

漏了雨,墙上留下漏雨的痕迹。是说写字看不见起笔驻笔的痕迹,就是很圆的这么一

宋拓宋刻孙过庭《书谱》(内页)

个道,这个意思我们可以理解。可有人说"屋漏痕"就是写字这笔画呀,就是没头没尾这么一个圆棍。若这样子,我可以把墨滴在纸上,把纸提起来往下一斜,这墨点上的墨它就流下来了。这不就是"屋漏痕"吗?但是我拿笔去写这"屋漏痕",我写不出来。

六朝、隋唐的论文都是比较典雅的美文。唐朝孙过庭的《书谱》讲得比较接近实际,说"带燥方润,将浓遂枯",这话很辩正,很有用。有意要全都是浓墨,都是汪着水

写,这样写出来是死的。但是笔蘸饱了,注意笔画全是匀的,有水分,没有任何一个字平均的都有那么多水,那么饱满,"带燥方润"也有轻有重,先有浓墨,再有淡墨,甚至笔的末尾还带着枯笔、干笔。这样它很自然。出于自然,它就比较润泽。这个话,拿我们理解的来解释并不难懂。可是他又说"古不乖时,今不同弊",这就难了,写古代字、学古代字体的风格,又不乖于现实时代,我写出来又是当今的时代,这就让我为难了。我们今天已经不用篆书了,我写篆书,写完了,就像今天人的篆书。这我先要问问孙过庭"不乖时"的古字什么样呢?"今不同弊",现在要写现在风格的字,跟同时的人不同一个弊病。我现在要是写的字不好,我写的跟同班同学写的你看都差不多,我要写歪了,那些同班的同学写得也不正。那么还要"不同弊",我写的又合乎现在,可又跟现代的不同一个弊病。

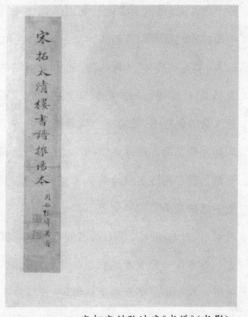

宋拓宋刻孙过庭《书谱》(书影)

这话只有孙过庭说得出来。你让孙过庭给我们表演一个,怎么就"古不乖时",怎么就"今不同弊",恐怕他也没办法。诸如此类。"观夫悬针垂露之异,奔雷坠石之奇,鸿飞兽骇之姿,鸾舞蛇惊之态,绝岸颓峰之势,临危据槁之形。"这些话比拟得都很有意思。但是,写字奔雷坠石,我写字在纸上,人听像轰隆轰隆打雷一样,又像一块石头掉下来。我真要拽一块石头在纸上,纸都破了,怎么还能有字?所以像这种事情都是比喻。你善于理解,你可以理解他所要说的是比喻什么;不然的话,他说得天花乱坠,等于废纸一篇。我们要是用六朝骈体文做一篇《飞机赋》,然后我把这《飞机赋》拿来给学开飞机的人。"夫飞机者"如何如何,让他背得烂熟,然后说你拿着我这篇《飞机赋》去开飞机去吧,那是要连他一块坠机身亡的。这东西没用呀,它不解决问题。我们说的是一个开飞机的教科书,使用一个机器的说明书,不要用六朝骈体的赋的形式,更不要用像长篇翻译的文章。翻译美学的文章(我不是说他内容不对),要是翻译得不好,我还是看不懂。现在有许多翻译的文章是懂外文的人看着很理解,要是不懂外文的人,就跟看用中国的笔画写的外文差不多。宋朝以来,论书的文章有比较接近现时的实用的片语只词,不过总不免与深入浅出的指导作用有一定距离。

苏东坡有篇文章说到王献之小时几岁,他在那儿写字,他父亲从背后抽他的笔,没抽掉。这个事情苏东坡就解释说,没抽掉不过是说这个小孩警惕性高,专心致志,他忽然抬头看,你为什么揪我的笔呀?并不是说拿笔捏得很紧,让人抽不掉。苏东坡用这段话来解释,我觉得他不愧为一个文豪,是一个通达事理的人。这个话到现在还仍然有人迷信,说要写字先学执笔,先学执笔看你拿得怎么样。你拿得好了,老师从后边一个个去抽,没揪出去的你算及格,揪出去的就算不及格。包世臣是清朝中期的人,他就说我们拿这个笔呀,要有意地想"握碎此管",使劲捏碎笔杆。这笔杆跟他有什么仇哇,他非把笔杆捏碎了,捏碎了还写什么字呀!想必包世臣小时一定想逃学,老师让写字,他上来一捏,"我要握碎此管"!他把笔管捏碎了,老师说你捏碎了,就甭写了。除了这,还有一个故事,说小孩拿一本蒙书《三字经》上学来了,瞧着旁边一个驴,驴叫张着嘴,他把他这本《三字经》塞在驴嘴里了,到时候老师说:"你的书呢?"他说:"让驴给嚼了。"驴嚼《三字经》,这是小时候听的故事,感到非常有趣。老师怎么说呢?"你那本让驴嚼了,我这还有一本,你再去念去。"听到这儿非常扫兴。好容易让驴把《三字经》嚼

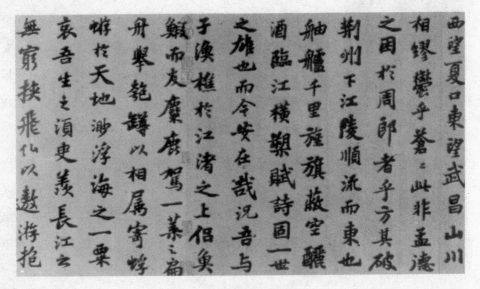

苏轼书《赤壁赋》局部

了,今儿个可以不念了,老师又拿出一本来,你还得给我念。包世臣捏碎笔管,老师可以说,你那管捏碎了,我这儿还有一管呢,你再捏。诸如此类,连包世臣都有这样的荒谬的言论,那么你说他那《艺舟双楫》的书还值得参考吗?还有参考价值没有?我觉得苏东坡说这个话是很有道理的。而现在这句话的流毒,还仍然流传于教书法的老师的头脑里,他还要小孩捏住了笔管不要被人拔了去。总而言之,古代讲书法的文章,不是没有有用的议论,但是你看越写得华丽的文章,越写得多的成篇大套的,你越要留神。他是为了表示我的文章好,不是为了让你怎么写。

我们写字是一种用手操作的技术。理论是口头或纸上说的道理。多么高明的辞赋也不能指导开飞机。我现在说的这句话,就算我强词夺理,恐怕也不会被人随便就给我驳倒。

清代有几本论书法的书,清朝前期,在康熙年间,有一个冯班,一家人做了一本书,叫《书法正传》。这本书也较为踏实一点,但终究是写出来的文章,跟实际来操作毕竟隔着一层。

到了中期,流行一时的是《艺舟双楫》。《艺舟双楫》

大秦景教流行中国碑

120

本来是分成两部分，一部分讲作文章，一部分讲写字，所以叫双楫，两个划船的桨。后来到了光绪年间，康有为写了一部书叫《广艺舟双楫》。《艺舟双楫》说双楫是两个拨船的工具，"双"是指一个文一个字。《广艺舟双楫》光广大了书法部分，他没论到文章，这样子呢，应叫《艺舟单橹》。这个橹就是船尾巴上摇的橹，就是一个。所以有人说，《广艺舟双楫》就该改成《艺舟单橹》。后来康有为知道书的题目有语病，就改为《书镜》，书法的一面镜子。他的文辞流畅得很，离实用却远得很。他随便指，一看这个碑写的字有点像那个，他就说这个出于那个，太可笑了。比如说，他说赵孟頫是学《景教碑》。

赵孟頫《高峰和尚行状》卷（局部）

《景教碑》在唐朝刻得之后，也不知怎么，大概是宗教教派不同，就给埋在地下了，根本没有人拓，到了明朝中期才出土。出土时一个字不坏，这说明是刚刻得就埋起来了。赵孟頫是元朝人，这碑是唐朝刻完就埋起来，到明朝才出土。说赵孟頫学它。赵孟頫什么时候学它？是赵孟頫活到明朝中时，《景教碑》出土以后才学写字的话，那赵孟頫得活三百多岁。如果说，赵孟頫学那个碑，唐朝刻得了就学，那唐朝刻得了就埋起来了，怎知道赵孟頫学过呢？他就是这样，随便看哪个像哪个，就瞎给它搭配。

清朝有个阮元也有这毛病，他有个"南北书派论"，也是随便说这是学那个，那个是那一派。我有一段文章，我就写这阮元的"南北书派论"，好像一个人坐在路边上，看见过往的人：一个胖子，说这人姓赵，那个瘦子就姓钱，一个高个的就姓孙，一个矮个的就姓李。他也不管人家真姓这个不姓这个，他就随便一指，你看那胖子就姓赵，赵钱孙李，周吴郑王往下排，人在路上走，他都能叫上姓什么来。这不是很可笑吗？实际这个毛病见于南朝的钟嵘《诗品》。《诗品》也是张三出于从前哪一家，李四出于哪一家，他怎么知道，也毫无理由，毫无证据。整个钟嵘的《诗品》里全是这一套。第一抄《诗品》办法的是阮元，第二抄阮元办法的是康有为。这样我就劝诸位，你要是想学写字，就是少看这些书，看这些书，就是越看越迷糊。

那么有人说我应该看什么参考书呢？我曾经说，你有钱可以买帖。现在的书多啦，到书店，琉璃厂好几家书店，他摆出、摊开了，在桌上、柜上，许许多多的成本成本的帖。你拿过来翻，我喜欢哪个（我前边已经说过了），我喜欢这一家笔法，喜欢那一家流派的，我就买来瞧。有钱就买帖，有兴趣就临帖，再有富余时间就看帖，那么再看看人家介绍这个帖的特点，也可以从旁得一点启发。可是成本大套的，特别是古代书法理论的书，现在我不知道哪个好，我看得很少。古代书法理论的书，头一个，他的文辞美妙,但是翻成口语,很难找出恰当的词句来表达。

那么我什么时候看那参考书呢? 当你要写书的时候,你再看参考书。那不就晚了吗? 我说不晚。为什么? 你写书,你不能凭空就这么写呀,总得抄点呀,你好拿古书东摘一句,西抄两句。现在很多的书,你给他找一找,都有来源。从前说"无一字无来历",这是讲韩文杜诗无一字无来历。现在有许多讲书法的书,我细看,这句话怎么很眼熟呀,大概总是古代某些名家的议论,就更不用说抄现代人的了。这样子,你如果要是写文章、写书,你不妨借鉴旁人作的书,丰富自己的著作。我这不是奚落,不是挖苦,不是告诉人你要抄袭,更不是这样子。你总要有的可说,有的可比较,有一点趣味,有点儿引经据典(有点根据)吧。这个时候你再看古代的书,也增加自己对他句子的理解,也可以丰富自己的著作。

你要拿笔写字时,你的脑子千万别想那个"握碎此管",或者说回腕法。要是那样子,瞧何绍基书前头那个插图,我管他叫猪蹄法,我觉得那自己也太欺骗自己了,自己拿古人的东西欺骗自己了。昨天有一个人来问我,说这个书上教人写字,画许多箭头,这一笔画画许多箭头,打后边绕到前边绕一个圆球,再往后写,你说是不是应该这样? 我就拿过古代墨迹的照片给他看,我说你看他揉的球在哪儿呢? "没有揉的球,那为什么画出那样揉球的形状呢?"我说:"谁让你相信揉球的办法呢?"这样子,就可见真正的拿笔写出来的圆的墨迹,不是后人给你画出那许多箭头,绕了八个弯,再拉出去那种所谓的藏锋。藏锋者是那个锋不能露出很尖很尖的东西,有很长一个虚尖,那个不行。

但是不是让你把笔的尖都揉在笔块里头，要那样写，这人也累坏了。所以我觉得参考书值得看，是要看在什么时候看，怎么去看。要是自己拿出笔来在纸上写字时，脑子里有参考书上画的箭头，照它去写，我保证你这个字一定写不好。

第十三章

行书宜当楷书写，其位置聚散始不失度。楷书宜当行书写，其点划顾盼始不呆板。

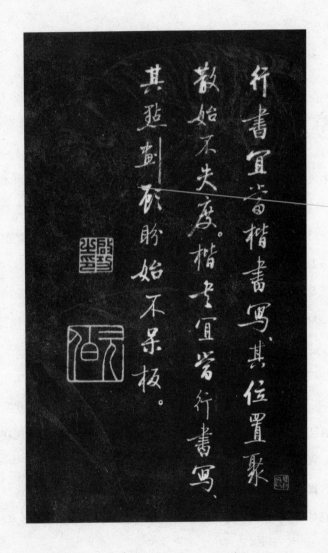

行書宜當楷書寫，其位置聚
散始不失度。楷書宜當行書寫、
其點劃顧盼始不呆板。

# 第十三章　如何才能写好字

有人说：你说了半天应该怎么写字，破除那些个迷信的说法，不切实际的说法，那么你说怎么才算写好了呢？我认为这个"好"的标准又有又没有。有人说，那个笔画是方的，刀斩斧齐的那就是好；有人说，揉了多少球然后描出来的圆疙瘩这就是好。那都是误解，是碑帖上刻出来的效果，误解为那些个现象。怎么叫好？你写的这篇字挂在墙上，你自己先看得过去，不至于自己先看着不敢给人家看，人家拿眼睛看，我自己捂着眼睛躲在一边，这个就行了。尤其是要人家认得，我也认得，这样子就是好。

宋朝有个人叫张商英。他做到丞相的官（这官很大了），他起草写了文稿，让家里的子、侄去抄，或者让秘书帮他抄写誊清。谁知抄写的人第二天拿来问他，说这个字念什么？他瞧了半天，一拍桌子："早不来问，你要早来问我，我还没忘，我写完了，交给你们抄去了，我也忘了是什么字了。早来问我，我还没忘。"这样的情况现在也不是没有。有一位老前辈，我也不提是谁了，写出字来就是不大好认。他的稿子有人就怕认。他写一条幅给人，我们看了不认得是什么，据说有时候他也不大认得。这样的事情也有。总而言之，我们写出字来，第一先要自己能认识，让抄写的人过一天再来问你也不算太晚，自己也还认得，别人也还认得，这是最好的、最起码的条件。第二如果再加上有特殊的美感，使人看起来，说怎么那么好看呀，这个就是好。

这好比我们看见一个人，不管是男的是女的，是老的是少的，老年人也有很美的，比如说，胡子头发都白了，挺长的白胡子，可很精神。那你会说这老头儿很漂亮。说一个妇女年轻的时候怎么怎么样，就是老太太了她精神十足，不管是多大岁数，你看这老太太慈眉善目的，也让人尊敬，让人觉得可亲近。你要问，说这个人美观，他美观在哪点上，恐怕不大好说。

我们看梅兰芳演红，演旦角，大家都说他演得好。你说他这人长相好不好看？你说他眼睛好，我就专门画他这两只眼睛，与他的鼻子嘴全不配合，你说这眼睛好不好看？那也不好看。说这个鼻子好，就单画他的鼻子，说这鼻子怎么好法，我得照这样找别人的鼻子去。要是这样，不就成了笑谈吗？那么好在哪，某一个人的美观、好看，不管这人是雄伟的好看，还是柔媚的好看，他总有他相配合的整体，有一个好看的整体。绝不能挖出个局部来，说这眼睛好，这鼻子好，那嘴好看。说梅兰芳好看，据说，他两个耳朵比较冲前（我见过梅兰芳，可我没注意）。耳朵比较往前掮，俗称掮风耳，我也没注意。那么梅兰芳什么都好，就是耳朵不太好，往前掮着，这可怎么看？先看鼻子眼睛，注意到耳朵的还是很少。所以我觉得美不美、好不好，是在整体。我把每一个帖上的字，一笔一笔的挖下来。这是一个"天"，我从王羲之那儿拉下一横，从颜真卿那儿拉下第二横，从褚遂良那儿挖下一撇，然后从柳公权那儿挖下一个捺。这四笔我都给它贴在一起,组合个天字,你看这个字还像个什么样?好看不好看就不言而喻了。你要是明白这个道理,就可以理解我所认为写字的好,它是整体的,尤其是要让人认识的。不管写草书、写行书,草书有草书的法度、规则。有个《草字汇》,还有编草书的许多书;你看合乎那个大家公认的标准的写法,那就是大家公认的好的。如果偏写那随便造出来的字,也不管《草字汇》还是《草韵辨体》是怎么讲草书的书,说我跟他们完全不一样,那你也甭想让人认得。

还有一个问题,是没有百分之百的好作品。王羲之写的字,我们要给他对比起来看,也有这个帖上这个字,比那个帖上那个字(同是那个字)写得好看。那么可见甲帖王羲之写的这一个字就不如他乙帖上写的那个同一个字好。所以名家、书圣,他也有写糟了的时候。米元章写过一个帖,他在夹缝里,自己批上"三四次写,间有一两字好,信书亦一难事"。这是米元章亲自写的一个帖。这个帖呢,写了三四次,是一首七言绝句,四七二十八个字。就算他写四次,二十八个字乘以四,一百一十二个字,米元章总算是高手,你写一百一十二个字之后自己看起来,间或有一两字好,可信写字也是一件难事。那么你就知道,我们不是说自卑,不如米元章,但是我也不相信自己准比米元章写得好。你也写三四次,看你有没有惭愧的心呐。所以说,自己写的字好不好,还是用这个办法,你把它贴在墙上对比一下,就可以看出来了。

曹丕说过:"虽在父兄,不能以移子弟。"可见在魏(汉朝末年),曹操的儿子,他都说过,有许多事,写文章父兄写得好,儿子不一定能够都跟父兄写得一样的好。我们也不

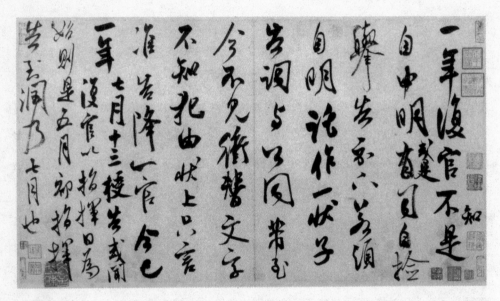

米芾《复官帖》

能太着急,说我几儿就超过我的父亲,超过我的哥哥,超过我的老师。志愿不可没有哇,可我今天拿起笔来一写就可以比老师比父兄写得都好吗? 恐怕没有功夫不行。从前说铁杵磨成针,功到自然成。你功夫不到,如何就想一写就好? 我听过一个青年说,说起来谁谁谁写得好,那算什么! 我写三天就比他好。那好,这话我觉得他有志愿。这个志愿是好,只这个性子太急了。他三天,咱们一块写完三天,我看你好在哪儿,你写得之后怎么样子就高于那一个人。这是说急性子,想我一句话就超过某个高明的人。这是不容易的。

有这么一个故事，说这鸟呀，在乌鸦喜鹊的窝里头都有一根草。它有这根草，别人就看不见它窝里有鸟没有鸟了。说在树上，人看不见，也掏不着它。这都是哄小孩的。因为小孩他想爬到树上够那鸟，到窝里掏那鸟。大人告诉说不成，你看不见鸟，鸟都有一根隐身的草，所以你爬上去看不见窝里有鸟没鸟。有这么一个傻子，他就拆了许多鸟窝，拿着一根根草挨个让家里人看，说你看得见我看不见我？人人都说看得见。这个人呢，挺有耐心，换着个试。有一天，这个人问他的妻子，你看见我没有？他的妻子真腻烦了，就说看不见了。这人以为真看不见了，就拿着这根草，以为街上人也看不见他，走到街上铺子里、摊子上抢东西，拿东西，结果就让人给捉住了，送到衙门里去治罪了。他说你们都看不见我。看不见你怎么逮着你呢？这种东西，要是自己骗自己，说我写的这个一学就像，那你就等于是拿着那个隐身草。想学谁的字，其实谁也写不像，张三写不了李四的字。

在旧社会，不会写字的人他怎么办呢？他画个十字。你瞧那些个旧的契约，多少人作保，每个人都画个十字。这是一般农民、市民不认字，就画个十字。这画个十字也有区别。说我跟人定个契约，请你担保，人人都得画上。在公堂上办案，办完找来证人签字。那不容他一人画，每个人都得画。所以我们一看就知道不是一个人画的十字。仔细看，用笔的轻重长短，这一竖搭在横上是偏左，是偏右，这竖是上头长，还是底下长，不一样；有的下笔轻，驻笔重，有的下笔驻笔都轻；有的斜度不一样；细看总是不一样。所以我就说不要自欺。自己说大志可以，大志不能没有，可也别自己真信：说我三天就出精品，比那人好多了。那就跟拿一根隐身草到街上去拿东西一个样，自己骗自己。

还有一种，写得老不像怎么办。不一定要像，要学的是他的方法。他的办法，我们吸取了没有？借鉴了没有？我们要借鉴，要按他的办法，就省事；我们不按他的办法，就费事。就是这么点东西。写出来不就是自己看着比较满意，然后再请别人来看，自己把好的贴在墙上，然后有客人了，请你看我这怎么样。从前我有一个同学，他自己爱画画。画得之后给人看："你看总有一点进步吧？"我告诉他："你没有一点进步。"他说："为什么？"我说："你自己觉得进步了，这个想法就是退步。"

有一回我住医院，有一个年轻人到医院看望我，他拿一张字让我看，问写得好不好。我说"不好"。为什么我要这样说，你要告诉他好了，他就特别骄傲，所以我就给他泼冷水。这是成全他，我说不好，你还得努力。他挺不服气地说："某某老先生说自愧不如。"我说："我看这位老先生是恭维你呢，还是说反话呢？什么叫反话，你明白不？他都不如你写的好，这不是挖苦你吗？你连人家说反话都听不出来，你还问什么叫好坏呢。"这个人走了，同病房的人说："哪有你这样说话的？"我说："我们教书的人哪，职业病，对学生就得负责。你恭维他，对他没好处。"所以我现在郑重其事地奉告诸位，要学就有四个字："破除迷信。"别把那些个玄妙的、神奇的、造谣的、胡说八道的、捏造的、故神其说的话拿来当作教条，当作圣人的指导，否则那就真的上当了。

　　我这次所谈的这些题目还没有想得很好。我的意思,是想敬告想学书法的朋友不要听那些故神其说的话,我是和想学书法的朋友谈谈心,谈我个人的看法,个人的理解,也可以说个人的经验吧。我已经被那些故神其说的话迷惑了多半辈子。我今年已经八十四周岁了,就算再活也是一与九之比了,所以让那些个迷惑的神奇说法蒙了大半辈子,今天我说些良心话。现在说完了,就是这一共十三章。现在的时间是一九九六年七月一日中午十二点。这些话,将来有机会还要把它变成文字。(书稿文字内容由启功先生口述,秦永龙先生记录整理。)

编辑后记

# 编辑后记

　　这本小书来源于启功先生给青年朋友讲解书法艺术的系列讲话。得启功先生的学生秦永龙先生记录整理，收录在我局所出《启功丛稿·艺论卷》中，原题为《破除迷信——和学习书法的青年朋友谈心》。今经作者家属同意，改名为《启功给你讲书法》，出版单行本。

　　为方便读者更好地理解讲话内容，我们选配了启功先生在讲话中提到的古代碑帖、论书著作、文房四宝等的图片，并从启功先生《论书札记》、《论书绝句》中选配相关的书法作品，作为原稿内容的补充和延伸。在本书的编辑过程中，得到相关出版社及秦永龙先生、柴剑虹先生的无私帮助，谨此致谢。

　　今年6月30日，启功先生遽归道山。我们愿以这本小书，作为对敬爱的启功先生的深切纪念。

中华书局编辑部